LH 개혁 방안과 Jubilee

- 대한민국 부동산 영구 평화론 -

LH(한국토지주택공사) 개혁 방안과 Jubillee

대한민국 부동산 영구 평화론

발 행 | 2021년 04월 20일
저 자 | 김광종
펴낸곳 | 나라와 義
출판사등록 | 1996.01.16.(제321-1996-81호)
전 화 | 02-2282-0291
이메일 | irparty@naver.com

ISBN | 978-89-961429-3-5

www.irshow.com

헨리조지의 지대조세제를 넘어서,
소득주도 성장론이 아닌

저소득층 자산분배를 통한 지속성장과
공적연금을 통한 중심지 장악형

대한민국과 온 국민이 대대로 행복할 대안
헬 조선을 대한천국으로 바꿔
남북 통일까지 이루고 세계 최고의 국가가 되는

LH 개혁 방안과 Jubilee

- 대한민국 부동산 영구 평화론 -

김광종 지음

목차

3장

4장

5장

6장

7장

1 매 칠 년 끝에는 면제하라 2 면제의 규례는 이러하니라 그의 이웃에게 꾸어준 모든 채주는 그것을 면제하고 그의 이웃에게나 그 형제에게 독촉하지 말지니 이는 여호와를 위하여 면제를 선포하였음이라
3 이방인에게는 네가 독촉하려니와 네 형제에게 꾸어준 것은 네 손에서 면제하라
4-5 네가 만일 네 하나님 여호와의 말씀만 듣고 내가 오늘 네게 내리는 그 명령을 다 지켜 행하면 네 하나님 여호와께서 네게 기업으로 주신 땅에서 네가 반드시 복을 받으리니 너희 중에 가난한 자가 없으리라
6 네 하나님 여호와께서 네게 허락하신 대로 네게 복을 주시리니 네가 여러 나라에 꾸어 줄지라도 너는 꾸지 아니하겠고 네가 여러 나라를 통치할지라도 너는 통치를 당하지 아니하리라
7 네 하나님 여호와께서 네게 주신 땅 어느 성읍에서든지 가난한 형제가 너와 함께 거주하거든 그 가난한 형제에게 네 마음을 완악하게 하지 말며 네 손을 움켜 쥐지 말고
8 반드시 네 손을 그에게 펴서 그에게 필요한 대로 쓸 것을 넉넉히 꾸어주라
9 삼가 너는 마음에 악한 생각을 품지 말라 곧 이르기를 일곱째 해 면제년이 가까이 왔다 하고 네 궁핍한 형제를 악한 눈으로 바라보며 아무것도 주지 아니하면 그가 너를 여호와께 호소하리니 그것이 네게 죄가 되리라
10 너는 반드시 그에게 줄 것이요, 줄 때에는 아끼는 마음을 품지 말 것이니라 이로 말미암아 네 하나님 여호와께서 네가 하는 모든 일과 네 손이 닿는 모든 일에 네게 복을 주시리라
11 땅에는 언제든지 가난한 자가 그치지 아니하겠으므로 내가 네게 명령하여 이르노니 너는 반드시 네 땅 안에 네 형제 중 곤란한 자와 궁핍한 자에게 네 손을 펼지니라 (신명기 15장, 개역개정)

서문 : 태초에 하나님이 천지를 창조하시니라

하나님께서 땅을 만드시고 그 위에 흙으로 사람을 만드셨다. 그런데 지금 우리는 땅의 문제, 부동산의 문제로 국가적으로 큰 혼란에 빠져있고 전 세계의 주요 국가들도 마찬가지다. 이 문제를 해결할 대안이 무엇일까를 많은 사람들이 고민하지만 코로나 백신 찾는 것처럼 어렵다.

인간이 무기물에서 진화하여 나온 것이라면 우리는 전혀 다른 생각을 하면 된다. 또 진화해갈 것이므로 만인에 의한 만인의 투쟁을 계속하면 된다.

그러나 만약 창조주께서 어떤 목적을 가지고 이 세상을 창조하신 것이라면 우리는 전혀 다른 관점에서 이 문제를 보아야 하고, 그래야만 답을 찾을 수 있다. 진화론적 관점은 결국 공멸로 간다는 것이 1,2차 세계 대전을 통해 잘 드러났다.

성경을 통해 답을 찾는 것이 이 책의 특징이다. 나는 다양한 학문을 공부했다. 그런데도 여전히 성경은 세상사의 다양한 문제를 푸는 단초를 제공한다는 점에서 놀랍다. 성경을 묵상함으로써 스승의 지혜보다 낫다고 고백한 한 성경 저자가 있었다.

부족한 내가 지난 세월의 독서와 각종 사회 경험, 그리고 다양한 직업 체험과 고민들을 통해 마련한 대안인 대한민국 부동산 영구 평화론을 여기에 정리해본다.

하나님의 은혜가 우리 모두에게 함께 하시길 기도드리면서 대한민국 사회가 부동산 문제의 답을 찾아내서 전세계에 대안으로 공급하여 아름다운 지구촌을 만들어내는 데 일조하길 소원한다.

코로나 백신 개발이 현재의 어려운 상황을 극복하듯, 부동산 문제의 대안 개발이 세계를 좀 더 나은 수준, 공의로운 세계를 만들어내는 데 기여할 수 있길 간절히 바라면서 이 책을 써나갔다.

이 책의 글들은 단시간에 이뤄진 것이 아니고 지난 30여 년간 계속 고민하면서 썼고, 찾았던 대안들을 모아놓은 것이다. 여러 글들에서 반복적으로 겹쳐서 생각되고 논의되는 부분들이 있다.

나는 하나님을 찾기 위해, 정녕 성경이 진실인가를 알기 위해 고고학을 전공했고, 믿음이 생긴 후 군대와 화학회사를 거쳐 이 세상의 다양한 문제를 풀기 위해 국제 정치학을 전공하고 신학과 법학도 공부했고 대학 경영에 참여도 했으며 6번의 선거에 출마하고 아리랑당이라는 정당 창당 작업도 계속하고 있다.

답을 찾는 지난한 과정을 거쳐 왔고 이번에는 서울 시장에 출마하여 또 대안을 낸다. 그 대안으로 부동산 문제의 복합지인 서울에서 그 문제를 해결하고자 한다.

검증되지 않은 백신은 치명적이다. 그래서 임상 시험을 다 거쳐야 한다. 정책도 마찬가지다. 검증되지 않은 정책을 마구 잡이로 시행하다가 지금의 혼란상에 빠져있다.

나는 전주에서 2번, 강남에서도 4번 선거에 나왔다. 1999년 송파 보궐선거에서 무소속 출마했는데 후보자 추천수에서 서명 문제로 5명 정도 부족해서 등록 무산된 것까지 하면 참으로 다양한 선거 활동을 했다. 이 때 이회창 후보가 당선되셨다.

정당을 새롭게 창당하고 새로운 정치적 실험을 해보고자 이런 선거들에 참여했다. 처음부터 그런 것은 아니고 아태평화재단에서 활동할 때 김대중 대통령으로부터 직접 강의를 듣기도 했다. 당시 대선에서 떨어지고 영국 유학을 다녀오신 후였다.

손세일 의원이 보좌관을 해달라시는 청을 사양하고 총선에 1996년 직접 출마했는데, 1995년에 개혁신당에서 정책 1부장으로 정당 활동을 시작했다. 장을병, 서경석, 장기표 이런 분들과 함께 창당 작업을 했는데 이 분들이 기존 정치 세력과 합당하는 데 따라가지 않고 아리랑당 창당 작업을 시작했다.

일부러 대선 주자가 출마하는 곳에 나가보았다. 정동영 전 대통령 후보와 대선 전후로 2번, 무산된 이회창 대통령 후보와의 송파 경쟁까지 계산하면 대선에 세번 정도 나간 것과 같은 효과가 있다.

처칠은 정치를 가장 잘 알 수 있는 길은 선거에 나가는 것이라 하셨다.

프린스턴대 총장 출신이 윌슨 대통령은 대학경영 경험이 자신의 대통령직 수행에 큰 도움이 되었다고 했는데 나는 우석대 경영을 해보면서 이를 체험했다. 다양한 전공의 교수님들과 함께 대학 경영을 기획하고 실행한 것은 크나큰 정치적 자산이 되었다.

지난 21대 총선에서는 손학규 대표께서 후원회장이 되어주셔서 민생당에서 선거를 치렀다. 기존 정당과의 연합을 시험해보았다.

기독당 등과도 계속 공조하고 있다. 아리랑당은 언젠가 창당을 완료할 것이다.

Almightily Righteous Immanuel Reign Amid National Governments 의 약자가 ARIRANG 이고 한글로는 아리랑이 된다. 이를 아리랑당으로 만들어가고 있다.

서울의 문제의 핵심은 강남에 있다. 여기서 오래 관찰했고, 답을 나름으로 찾았다. 그것이 대한민국 부동산 영구 평화론이다.

다양한 정치인들과 경쟁하면서 정책을 마련해왔다. 장영달 손풍삼 정동영 이회창 김종훈 전현희 박진 정순균 그리고 이번에 서울시장 선거에서 또 여러 정치인들과 만나서 경쟁하게 될 것이다.

전주에서 태어나 고등학교까지 마친 후 서울에 대학 입학과 함께 올라왔다. 그리고 서울의 주요 동네들에 살아보았다. 지방들도 살아보았다.

봉천동 달동네부터 난곡 신림동 그리고 구로 서초 강남 마포 영등포 성동구 종로구 중구 등등 많은 곳에 살아보았다.

세계 여러 도시들에 다녀보았다. 런던 옥스퍼드 파리 암스테르담 쾰른 프랑크푸르트 싱가폴 뉴욕 뉴저지 보스턴 워싱턴 도쿄 요코하마 후쿠오카 베이징 상하이 연길 도문 홍콩 타이페이 타오위안 마닐라 시드니 오클랜드 로마 베를린 뮌스터 텔아비브 예루살렘 하이파 방콕 프놈펜 호치민 다낭 쿠알라룸푸르 멜라카 밴쿠버 로스앤젤레스 샌프란시스코. 가난한 동네와 부자 동네를 대부분 다녀보았다. 계속 돌아다녀보았고 거주해 보았고 읽었고 계속 살펴보았고 계속 대안을 찾았다.

헨리조지의 진보와 빈곤을 읽으면서 문제점을 발견했고 그 주장자들과 힘겨운 토론도 2003년에 거쳤다. 마르크스의 자본론을 읽으면서 많은 고민도 더했다. 자본과 토지의 문제를 어떻게 연결시켜 해결할지. 그리고 장단주기 분배론이라는 책을 썼고 이번에는 부동산에 더욱 집중해서 책을 내게 되었다.

모택동과 김일성의 책들까지 읽어 보았다. 우리 주변에 있는 나라들의 근본을 알아야 우리는 그들에게까지 대안을 낼 수 있기 때문이다.

그런데 결정적 인사이트를 받은 책은 역시 성경이다. 정말 성경은 읽으면 읽을수록 탁월한 책이다는 생각이 든다.

하버드대 에커트 교수의 Offspring of empire라는 책을 비판하면서 쓴 '죽은 겨자씨 한 알'-한국자본주의의 주체적 조건 발전론- 을 1996년에 출판했었다. 근대화론과 종속론을 넘어서서 대안을 찾을 때 동서양의 다양한 책들과 함께 성경을 읽었고 큰 도움을 받았다.

근대화론의 주장자이고, 한국자본주의가 일제 지배의 도움으로 발전하게 되었다는 에커트 교수의 이론을 비판하면서 쓴 책이다. 이 책은 다시 장단주기 분배론으로 이어졌고, 이번에 같이 쓰게 된 '민주제적 질서 속에서 그리스도 통치론'이라는 책과 이 책, 대한민국 부동산 영구 평화론은 모두 성경을 통해서 연결되고 있다.

대부분 순교로 인생을 마치신 성경 저자들과 하나님께 깊이 감사드린다.

나는 그리스도의 십자가의 피를 필요로 하는 죄인의 괴수다. 이런 사람이 이런 책을 쓸 수 있는 것만도 영광이다.

그리고 특별히 2001년에 시신을 기증하시고 국립 임실 호국원에 안장되셨으며, 천국으로 가신 아버지 김완봉 선생께 깊이 감사드린다. 아버지는 나에게 많은 영감과 훌륭한 교육을 주셨다. 중간에 삶의 어려움도 겪으셨지만 다시 일어서셔서 큰 힘이 되어주셨다.

모사가 많으면 경영이 선다고 하셨다. 더 많은 사람들이 머리를 맞대고 답을 찾아야 한다.

앞으로도 더 나은 대안이 마련되어야 하고, 토론되어야 한다. 그런 과정 중의 하나로서 이 책을 내며, 함께 고생하신 모든 분들께 하나님의 은혜가 함께 하시길 간절히 기도드린다.

빌게이츠는 그가 소유한 재단을 통해 미국의 농지들을 사들였고 미국 내 최대 부동산 소유자가 되었다. 빌 게이츠가 MS를 통해, 그 주식을 통해 확보한 자본을 토대로 만들어진 재단이 농지를 사들였다.

지주를 잡으면 빈부 격차 문제가 풀릴 것이라는 지대조세제는 자본가의 자본의 확장 크기가 이 세금의 크기를 넘어서는 광속이 된다는 것을 이해하지 못한 데서 온 철학이 빈곤한 이론임을 드러냈다.

분자가 원자의 중첩을 통해 이뤄지는 것처럼, 토지 노동 자본은 중첩적으로 연계되어 있다. 이 중 노동 또는 인력이 원자핵과 같은 존재다. 그리고 이는 자본을 극대화시켜가는 중성자적 속성을 지니고 있다. 중성자가 동위 원소의 원자핵을 때리면 원자핵은 분열되는데 일정한 조건이 갖추어지면 이 분열이 연쇄반응을 일으켜 기하급수적으로 급속히 늘어나 재료가 거의 없어질 때까지 계속되면서 원자폭탄이 폭발을 일으킨다.그 폭발력이 이렇게 큰 것이다. 일론 머스크, 제프 베이조스, 빌 게이츠는 그 예이다.

잔챙이 지주들을 세금으로 제어하면 개미 서민들은 더욱더 힘들어진다. 지대에 세금이 전가되기 때문이다. 자본가가 통제되지 않는다면 이들 자본가들이 나타나서 이런 원자폭탄, 수소폭탄, 중성자탄 같은 폭발로 무제한의 빈부 격차를 만들어낸다.

따라서 하나님께서는 토지 노동 자본의 장단주기 분배를 명하신 것이다. 그 속성에 맞는 장단주기적 분배 없이는 성공적인 일부 인간의 소유와 탐욕의 그 막대한 확장성을 통제할 수 없고, 한번 그 대열에서 이탈한 서민들은 다시는 그 열차에 올라탈 수 없기 때문이다.

제1장

1. 다주택자 규제와 함께 무주택자 소유에 초점 맞춘 정책 필요

희년은 50년 만에 다시 주요 자산이며, 생산의 3대 요소인 토지, 당시로서는 농지가 주어지는 해였다. 이를 다시 반복해서 이야기하는 것은 그만큼 중요하며, 대한민국 주택 정책의 근본 방향이 잘못되어 있으며, 세계 주요 선진국도 그러하다는 점이다.

한국에 성경이 전해진 것은 조선 후기다. 이제 2백년 쯤 되었다. 임진왜란에도 일본군인 중에 가톨릭 신자가 있었으니 더 빠르다고도 볼 수 있다. 이스라엘도 실천에 실패해서 나라가 망했던 정책, 바로 희년의 회복은 국가적으로 대단히 중요하다.

한 사회의 부패는 부의 불평등에서 기인하고 부의 불평등은 정치적 불평등도 필연적으로 야기한다. 그래서 주기적으로 부를 분배하도록 하신 것이 모세 오경에 나오는 희년이다. 그런데 이를 3천년도 더 된 일이라고 지켜야 하냐고 묻는 신학자들과 목회자들이 있다. 얼마 전 한 성직자도 내게 그렇게 말씀하셨다. 나의 정책을 보고서 그렇게 말씀하셨다.

그러면 왜 그토록 목사들은 십일조는 강조하는가! 말라기에서 십일조가 강조된다. 구약의 마지막 책이 말라기이다. 신약에선 딱 3번 복음서에서 십일조가 말씀되어진다. 사도행전 이후론 아예 이 단어가 나오지 않는다.

예수님은 오히려 더욱더 나가셨다. 부자 청년에게 모든 재산을 팔아 가난한 자들에게 나눠주고 예수님을 따르라 하셨다. 사도행전에서 성령을 받은 그리스도인 집단은 모든 재산을 나눴고 필요에 따라 가져다 썼다. 심지어 이 과정에 재산을 절반이나 내놓은 아나니아와 삽비라는 다 내어놓았다고 말했다가 그 거짓말로 인해서 하나님의 치심으로 죽었다.

교회는 결코 이런 일은 설교에서 강조하지 않는다. 십일조를 받는 일은 교회가 받는 일이고 그 혜택이 목회자에게 직접 돌아가는 일이니 대단히 강조한다. 그런데 교인들 사이에 가난한 사람들을, 부자들이 재산을 내어놓아 돕는 일은 결코 강조하지도 않고 시도하지도 않는다. 사도행전에 엄연히 나오는 일인데도 그렇다.

이제 교회 안에서부터 이런 나누는 일을 해야 한다. 그리고 국가적으로도 무주택자들에게 주기적으로 임대아파트가 아니라 주택 소유권을 주어야 한다. 그가 팔든 가지든 할 수 있는 처분권이 있는 주택을 주어야 한다. 희년에 받은 토지를 받은 사람이 다시 이를 팔아서 현금화할 수 있었다. 마음대로 처분할 수 있었다. 지금의 임대 정책은 그냥 거기서 나가면 끝이다. 이런 정책은 결코 희년 정책이 아니다.

50년이 되어서 다시 돌아올 재산이 있는 사람과 그 자손은 인생을 막 살지 않는다. 희망이 있기 때문이다. 그러나 이런 희망이 없으면 그 사회에서 암적 존재로 변화된다. 어차피 힘든 세상이니 강도짓도 하게 되고 온갖 범죄에 노출된다. 이런 것을 막고자 성경에선 이스라엘이 희년과 무이자제도, 그리고 삼년 십일조를 통한 구제를 실시하도록 하셨다.

이런 원칙을 우리 사회에 실시하면 헬 조선은 대한천국으로 바뀔 것이고, 이를 다시 전 세계로 확산하면 세계엔 공산주의도 사라지게 되고 부패 국가도 사라지게 된다. 이것이 바로 가난한 사람들에게 전해져야 할 좋은 뉴스, 복음인 것이다.

헨리 조지의 진보와 빈곤은 결코 가난한 사람들에게 좋은 뉴스가 아니다. 그래서 지난 노무현 정부와 문재인 정부의 부동산 정책이 실패했다. 김광종은 이번 서울 시장 선거를 통해서 이를 알리고 실현하고자 한다. 듣든지 아니 듣든지 이사야 선지자에게 전하라고 하셨다. 에스겔서에서는 그 사회의 기득권 세력들이 찔레와 가시로 막을지라도 전하라고 하셨다. 전해서 들으면 좋고, 전하지 않으면 그 죄가 깨닫고도 전하지 않은 자에게 임한다고 하셨다.

나는 이를 깨달아서 전할 뿐이다. 내가 훌륭해서 정치를 하는 것이 아니다. 죄인의 괴수, 예수님 십자가 옆에 달렸던 죄인으로서 옳은 것을 옳다고 말할 뿐이다. 이제 이 정책들을 정리한 "대한민국 부동산 영구 평화론" 이라는 책이 나왔다.

2. 부와 권력의 집중은 개인적으로도 사회적으로도 재앙이다.

이스라엘이 정복한 가나안 사회는 부와 권력이 특정 개인이나 조직들에 집중된 사회였을 것으로 보인다. 여기에서 이 사회는 부패한 사회가 되었다. 따라서 하나님께서는 가나안을 차지한 이스라엘에게 부와 권력의 집중을 막고 이를 분산 소유하도록 하셨다고 생각된다.

부는 토지의 균등 분배를 통해서, 그리고 매 3년 십일조를 통한 복지 정책과 무이자 제도와 탕감을 통해서 이뤄졌다. 토지는 50년마다 그리고 부채 탕감은 7년마다 이뤄졌다. 이자를 받을 수 없는 사회였기 때문에 금융 소득을 통해 극심한 빈부격차가 아예 차단되었다.

현 자본주의 사회는 반대로 가고 있다. 토지가 주기적으로 균등 분배되지도 않고, 가난한 사람들에게 자산이 다시 주어지지도 않고, 가난하게 되면 신용등급이 떨어져서 더 비싼 이자로 소액을 빌려야 하고, 따라서 빈곤의 속도는 더욱더 가속화되고 반대로 토지와 자본을 가진 측에서는 부의 축적이 빨라진다.

가나안 7부족 사회로 가고 있는 자본주의 사회다. 거기에 동성애와 마약이 판을 친다. 진정한 가나안 사회이며, 소돔과 고모라가 된다. 이런 불평등 사회, 빈부 격차가 극심한 사회에서는 재판과 공권력은 뇌물로 타락하고 변질된다. 남미가 이렇게 가고 있다.

공산주의가 대안이 아니고, 가나안을 정복한 이스라엘식 시스템이 대안이고 롤 모델이다. 권력의 집중도 이스라엘엔 초기에 없었다. 사사라는 권력이 있었지만 이는 도덕적 권력이지 왕과 같은 체계화된 권력이 아니었다. 이런 권력이 생기는 순간 한 사회의 불평등과 빈부 격차는 가속화된다.

하나님께서는 그래서 이스라엘에게 왕 제도를 주지 않으셨다. 하지만 이스라엘은 이를 원했다. 주변국들처럼 자신들도 멋진 왕을 가지고 싶어 했다. 그 위험성에 대해 사사 사무엘을 통해서 고지하셨지만 이스라엘은 끝까지 고집을 피웠다. 그리고 왕 제도가 형성되었고, 사울이 초대 왕이 되었고, 그 이후의 왕들이, 예언된 대로 이스라엘의 최대 문젯거리가 되었다. 이는 오늘날도 마찬가지다. 최대 문젯거리는 최고 권력자인 것이 각국의 현실이다.

다음은 사무엘상 8장이다. 이곳에서 위의 일들이 자세히 설명되고 있다.

1 사무엘이 늙으매 그의 아들들을 이스라엘 사사로 삼으니

2 장자의 이름은 요엘이요 차자의 이름은 아비야라 그들이 브엘세바에서 사사가 되니라

3 그의 아들들이 자기 아버지의 행위를 따르지 아니하고 이익을 따라 뇌물을 받고 판결을 굽게 하니라

4 이스라엘 모든 장로가 모여 라마에 있는 사무엘에게 나아가서

5 그에게 이르되 보소서 당신은 늙고 당신의 아들들은 당신의 행위를 따르지 아니하니 모든 나라와 같이 우리에게 왕을 세워 우리를 다스

리게 하소서 한지라
6 우리에게 왕을 주어 우리를 다스리게 하라 했을 때에 사무엘이 그것을 기뻐하지 아니하여 여호와께 기도하매
7 여호와께서 사무엘에게 이르시되 백성이 네게 한 말을 다 들으라 이는 그들이 너를 버림이 아니요 나를 버려 자기들의 왕이 되지 못하게 함이니라
8 내가 그들을 애굽에서 인도하여 낸 날부터 오늘까지 그들이 모든 행사로 나를 버리고 다른 신들을 섬김 같이 네게도 그리하는도다
9 그러므로 그들의 말을 듣되 너는 그들에게 엄히 경고하고 그들을 다스릴 왕의 제도를 가르치라
10 사무엘이 왕을 요구하는 백성에게 여호와의 모든 말씀을 말하여
11 이르되 너희를 다스릴 왕의 제도는 이러하니라 그가 너희 아들들을 데려다가 그의 병거와 말을 어거하게 하리니 그들이 그 병거 앞에서 달릴 것이며
12 그가 또 너희의 아들들을 천부장과 오십부장을 삼을 것이며 자기 밭을 갈게 하고 자기 추수를 하게 할 것이며 자기 무기와 병거의 장비도 만들게 할 것이며
13 그가 또 너희의 딸들을 데려다가 향료 만드는 자와 요리하는 자와 떡 굽는 자로 삼을 것이며
14 그가 또 너희의 밭과 포도원과 감람원에서 제일 좋은 것을 가져다가 자기의 신하들에게 줄 것이며
15 그가 또 너희의 곡식과 포도원 소산의 십일조를 거두어 자기의 관리와 신하에게 줄 것이며
16 그가 또 너희의 노비와 가장 아름다운 소년과 나귀들을 끌어다가 자기 일을 시킬 것이며

17 너희의 양 떼의 십분의 일을 거두어 가리니 너희가 그의 종이 될 것이라
18 그 날에 너희는 너희가 택한 왕으로 말미암아 부르짖되 그 날에 여호와께서 너희에게 응답하지 아니하시리라 하니
19 백성이 사무엘의 말 듣기를 거절하여 이르되 아니로소이다 우리도 우리 왕이 있어야 하리니
20 우리도 다른 나라들 같이 되어 우리의 왕이 우리를 다스리며 우리 앞에 나가서 우리의 싸움을 싸워야 할 것이니이다 하는지라
21 사무엘이 백성의 말을 다 듣고 여호와께 아뢰매
22 여호와께서 사무엘에게 이르시되 그들의 말을 들어 왕을 세우라 하시니 사무엘이 이스라엘 사람들에게 이르되 너희는 각기 성읍으로 돌아가라 하니라 (개역개정)

3. 전 국민이 강남과 서울에서 월세 받는 시스템

자본주의 사회는 집중이 가장 주요한 요소 중 하나다. 이 집중은 중심지의 지가를 상승시키고 이는 다시 주택 가격 상승도 가져온다. 따라서 이 중심지를 초기에 장악한 사람이나 기업들이 한 사회의 과실을 영구적으로 흡수하고, 여기에서 배제된 사람이나 기업들은 이것을 따라잡기가 힘든 구조다.

이 문제를 세금으로 푸는 것은 세금의 전가가 임차인에게 이뤄지는 구조로 인해 결코 근원적 해결책이 될 수 없다. 그래서 전 국민이 부담하고 있는 공적연금을 통해서 간접 소유하는 형태, 공유하는 형태가 이 문제를 푸는 거의 유일한 방법이라 할 수 있다.

4. 가난한 사람에겐 임대가 아니라 주택 소유권이 무상으로 주어져야

희년의 원칙은 50년이 되면 가난한 사람도 자신의 경작 토지가 아무런 돈도 지불하지 않아도 무상으로 돌아오는 것이다. 아예 처음에 팔 때부터 이것이 감안되어 가격이 책정된다.

성읍 내의 주택은 영구히 팔 수 있었다. 이런 원칙에 기반 해서 오늘날의 토지 주택 정책을 어떻게 가져갈 수 있을까?

헨리 조지식의 지대조세제를 통해, 다른 모든 세금을 없애고 임대료에만 세금을 붙이는 단일 조세제를 시행하면 자동적으로 부동산과 관련한 모든 문제가 해결되는 것인가? 전혀 그렇지 않다. 이는 희년의 정신과도 무관하다.

미국 자본주의 사회의 레드컴플렉스를 반영해서 시장 경제를 지지하고 기업들과 자본가들에게 세금 부담을 주지 않고 오직 지주들에게서 세금을 거두어서 친자본주의적 국가를 만들겠다는 허무맹랑한 정책이고 대안이다.

왜냐하면 이스라엘이 십일조를 매년 거두었는데, 이는 모든 토지에서 동일량이 아니라 생산량에 비례한 것이므로, 단일조세제와 달리 기업들마다 그 비율로 다른 액수의 세금을 내는 것과 유사한 형태이기 때문이다. 당연히 생산량에 비례해서 일정 비율로 내서 그 국가에 필요한 여러 가지 것들을 운용하는 것이 합리적이다. 이 점에서 헨리 조지는 세금과 재정, 그리고 빈부 격차 문제 해결 방안의 대안을 잘못 찾은 것이다.

여기에서 이런 문제도 발생할 수 있다. 과거 농경 사회에서는 지가가 농산물의 생산 가치와 양에 따라 달라지는데, 자본주의 사회에서는 인구의 집적도에 따라 달라지기 때문이다. 따라서 과거처럼 땅의 크기가 중요한 것이 아니라, 인구 밀집도가 더 중요하고 자본 집적도가 중요한 요소가 된다. 전 국토에서 일부 중심 지역의 지가나 주택 가격이 상대적으로 월등하게 비쌈으로써 농경시대처럼 땅을 분배하거나 주택을 분배할 수는 없다는 점이다.

그래서 대안으로 중심지의 주택이니 토지들을 국민연금과 같은 공적 연금들을 통해 공유하면 이 문제가 한 축에서는 자연스럽게 해결될 수 있다.

그럼에도 불구하고 자기 자산을 갖지 못하는 가난한 사람들을 위해선 그 거주지인 임대아파트들을 토지임대부로라도 전환하여 소유하게 하여야 할 필요성이 있다.

그런데 여기에도 거주하지 못하는 가난한 사람들은 어떻게 할 것인가! 이들에게도 50년 주기에 맞게 자본을 공급하는 방법도 있다. 기본적으로 이들을 임대아파트 거주자로 끌어 들인 다음에 다시 이것들을 토지 임대부로 공급하는 방법이다. 이 부분은 더 정밀하게 고안될 필요가 있다.

5. 서울의 코제트와 팡틴과 장발장과 부동산 영구평화론

성매매특별법은 폐지되어야 한다. 어떤 여성이 성매매를 하면서 살고 싶겠는가!

기생 라합은 여리고에서 이스라엘의 두 장군을 숨겨주었고, 그리고 민족을 배반했지만 하나님의 역사에 길이 남은 여인이 되었다. 그녀는 다윗의 조상뿐만 아니라 예수님의 조상이 되셨다.

서울의 부동산 불평등은 팡틴을 양산한다. 팡틴을 법으로 처벌하는 것은 또 다른 악이다. 성경은 창녀의 헌금을 받지 말라 하시며, 이스라엘 민족의 딸이 창녀가 되지 않게 하라고 하셨다. 그러나 예수님은 세리와 창녀의 친구가 되어주셨고, 그들이 먼저 회개했고, 서기관과 바리새인들은 그들을 비웃었지만 회개하지 않았고 예수님을 십자가에 못 박는 일에 앞장섰다.

이 땅에서 성매매를 하지 않아도 될 정도로 모든 여성이 존엄을 누릴 수 있는 경제적 토대가 제공되어야 한다. 정당한 결혼 속에서 코제트를 낳고 행복하게 살 수 있는 가정의 울타리를 우리는 장발장이 되어서 만들어주어야 한다. 시장 장발장에겐 죄가 있었고 그를 끊임없이 추격하는 경찰이 있었다. 그러나 장발장은 선을 행하기를 멈추지 않았다.

우리는 다 죄인이다. 예수 그리스도의 피를 필요로 하는 죄인들이다. 우리는 이 땅의 불의한 법과 구조 속에서 고통 받는 수많은 코제트와 팡틴들을 구해주어야 한다.

대한민국 부동산 영구 평화는 이런 일의 토대가 된다. 성매매는 도덕의 영역에서 금지되어야 한다. 형벌의 영역에서는 오히려 성매매 여성들을 보호해주어야 한다. 몸밖에 팔 것이 없는 가련한 여인들에게 우리 사회가 형벌을 가할 만큼 도덕적이지 못하다.

특히 경제적 불평등 구조는 아주 극악할 정도도 비도덕적 사회이다. 도덕적 사회임을 위선적으로 드러내려고 성매매특별법을 만들어서 비도덕적 여성들과 남성들을 정죄하는 것은 간음 중에 붙잡혀온 여인을 예수님 앞으로 데려온 무리와 같다.

죄 없는 자가 먼저 돌로 치라 하셨다. 우리 사회에 죄 없는 자가 먼저 성매매 여성들을 향해 법적 처벌을 외쳐야 한다. 그럴 만한 수준의 사람들이 우리는 아니다.

대한민국은 오히려 코제트를 보호하지 않고 그녀들을 노출이 심한 옷을 입혀 야한 춤을 추게 만들면서 관음증으로 즐기게 하는 사회다. 아이돌이라는 위선의 거룩한 이름으로. 방송통신심의위는 이를 버젓이 통과시킨다. 그리고 그것을 한류로 포장한다. 위안부 소녀의 세계화가 교묘히 진행되고 있다. 자본의 전리품이 되어서.

하나님 나라에 골몰한다는 미명 아래 고상한 신학 교수와 목사들은 이런 것을 논하기엔 너무 부드러운 옷을 입고 있다. 가난한 대학생들이 바친 피 묻은 등록금과 교인들의 헌금으로 생활수단과 생산수단을 확보하면서. 교계 거목에 반기드는 일은 결코 없이. 약대는 걸러내고 하루살이는 잡으면서.

이제 우리 사회에서 가장 비참한 사람들부터 집이 주어져야 하고 자산이 회복되게 해주어야 한다. 그러면 그들은 당연히 성매매에서 벗어나고 사랑하는 사람과만 아가서를 쓰게 될 것이다. 더 이상의 눈물과 탄식이 없는 서울, 그리고 대한민국을 만드는 것이 부동산 정책의 목표이고 과정이어야 한다.

빅토르 위고가 프랑스 파리에서 보았던 레미제라블들은 대한민국의 서울에서 여전히 밤거리를 헤매고 있다. 이제 그 끝을 마련해야 한다. 서울은 거룩한 도성 예루살렘이 되어서 더 이상 눈물 흘리거나 고통으로 탄식하는 사람이 없어야 한다. 예수께서 이 땅에 오셔서 병든 자를 고치시고 갇힌 자를 풀어내주시며, 가난한 사람들에게 좋은 소식을 주셨던 것을 우리가 행해야 한다. 저는 이런 일을 위해 서울시장이 되고자 한다.

6. 대통령부터 퇴임 후에 임대아파트로

국가에선 상징성이 필요하다. 예수님은 이 땅에 오셔서 머리 둘 곳도 없이 사셨다. 만왕의 왕 되신 예수께서 왜 이렇게 하셨을까?

솔선수범하기 위해 이렇게 하셨다고 본다. 사무엘, 모세, 느헤미야...

대한민국의 부동산 난맥상은 그래서 대통령부터 솔선수범해서 임명과 함께 모든 부동산을 다 처분하고 퇴임 후엔 임대아파트로 입주하는 모범이 필요하다. 가장 많은 권력을 가지게 해준 국민들을 위해 대통령이 희생해야 한다.

문재인 대통령도 퇴임 후 양산으로 갈 것이 아니라, 모든 부동산을 처분하고 그 잔여금을 고금리로 시달리는 국민들을 위한 기금 마련에 보태고 자신은 적당한 임대아파트로 입주하는 것이 바람직하다. 이번에 문제가 되었던 화성 동탄의 그 모델하우스 임대아파트라면 더욱 좋다고 본다.

고위직부터 이렇게 희생하는 모습을 보인다면 대한민국의 부동산 문제는 순차적으로 해결되어갈 것이다. 그러나 만약 그렇지 않다면 하나님께서 개입하셔서 이스라엘에 임했던 재앙, 바벨론에 임했던 재앙이 대한민국에 임하게 될 것이다.

나는 내 스스로 이것을 행하고 있다. 나는 한 번도 당선되어본 적이 없는 정치인이다. 6번의 선거에서 당선되지 못했다. 그래도 나는 정치인이다. 내가 출마했던 지역들은 가난한 사람들이 많았다.

지금도 그렇다. 그래서 나는 2016년도에 집을 모두 팔았다. 그 해에 종부세까지 냈었지만 나는 집들을 팔고 다시 무주택자가 되었다. 대한민국의 모든 국민들이 집을 가질 때까지 나는 집을 가지지 않기로 작정했다. 그리고 남은 돈들을 고금리로 시달리던 분들에게 무이자로 꿔주었다.

그리고 지난 2018년 선거와 2020년 선거에서 카드빚을 빌려보았다. 지금 카드빚이 4천만 원 정도 남아 있다. 고금리에 시달리는 서민들의 사정을 내가 직접 체험하고 있다. 내가 이 고통을 체험하기 전에도 가난한 사람들에게 돈을 무이자로 꿔주고 있었지만 그들의 고통을 내가 직접 이해하기는 힘들었다.

그런데 내가 직접 겪으니 왜 성경에서 무이자 대출을 말씀하시는지 잘 알게 되었다. 다시 무주택자로 돌아가니 강남 일대의 임대아파트들에 대한 좀 더 구체적인 정책들이 마련되었다.

목마른 사람이 우물 파게 되어 있다는 속담은 맞다. 상전 배부르면 하인 배고픈 것을 모른다. 입법자인 국회의원들이나 최고 권력자인 대통령이 무주택자가 아닌데 어찌 이들의 문제를 해결하는 일이 자신의 일이 될 수 있겠는가!

명의는 보통 그 병을 앓아본 경우가 많다고 삼성 서울 병원의 정진상 교수가 강의하는 것을 보았다. 진정 서민의 문제를 풀 수 있는 정치가는 그 서민들의 문제가 자신의 문제인 사람이다.

나 같은 사람도 실천하고 있으니 문재인 대통령도 실천하시지 못할 수가 없다. 이런 전통이 대통령들을 이어서 계속된다면, 아마도 감옥에 가는 대통령은 더 이상 대한민국에서 나오지 않으리라 본다.

정치는 법만의 영역이 아니라 법을 넘어서는 도덕과 철학의 영역, 더 나아가 신학의 영역이다. 직업으로서의 정치가는 막스 베버의 이야기를 넘어서 목숨과 재산을 내어놓는 순교자의 길을 가야 한다. 이런 정치가에겐 천국이 예비 되어 있을 것이다.

7. 서울을 일부 부자들의 서울에서 국민 모두의 서울, 대한민국의 서울로

서울이 토지와 집을 많이 가진 사람들이 장악한 서울이 아니라 국민 모두의 서울, 대한민국의 서울이 될 수 있는 길은 바로 대한민국 부동산 영구 평화론에서 제시한 방법을 따르면 된다.

SH. LH의 임대 아파트들에 입주한 임차인 중 원하는 세대들에게 그 아파트들을 토지임대부로 소유 전환해주고, 금융으로도 지원한다. 이를 통해 기초수급 등 복지 부담을 대폭 축소한다. 또한 두 기관 등 관련 공기업들의 부채를 모두 해소한다. 이 과정에 국민연금이 참여하여 이 두 기관 등으로부터 토지를 매입한다.

그리고 이들 아파트들을 용적률을 최대로 높여서 재건축하고 나머지 신규 물량을 일반 국민들에게 시세대로 임대하고 거기에서 확보한 자금으로 중심부의 토지와 아파트들을 사들인다.

이 때 법적 지원을 통해 세금을 경감한다. 임대 사업자에 대한 모든 혜택을 폐지하고, 1주택 자에 대해선 재산세를 감면한다. 다주택자에 대해선 징벌적 세금을 강화한다. 여기에서 나온 자금은 다시 국민연금과 합세하여 중심지 토지와 주택 매입에 사용한다. 보다 자세한 내용은 뒤에서 다시 여러 가지로 보충 설명하겠다.

8. 성경보다 헨리 조지를 더 신봉하는 이들에게

헨리 조지를 성경보다 더 신뢰하는 이들에게 꼭 부탁하고 싶다. 성경을 다시 꼼꼼히 읽어보기를.

나는 헨리 조지의 진보와 빈곤을 읽어보았다. 그러나 모세 오경과 선지서 역사서 시편 등에 나오는 말씀과 예수님의 말씀, 그리고 사도들의 서신들을 종합해 볼 때 성경을 읽는 쪽이 헨리 조지의 진보와 빈곤보다 토지 문제, 부동산 문제에 있어서 더 많은 통찰력을 준다.

마르크스의 자본론도 읽어보았다. 중요한 요소를 많이 담고 있다. 잉여가치는 노동에서만 나온다는 것을 증명하기 위해 그토록 긴 책을 썼다. 유통도 경영도 아닌 노동만이 잉여가치를 만들어낸다는 마르크스의 생각. 그러나 노동과 경영의 투쟁, 자본가와 노동자의 몫의 투쟁에서도 성경은 더 큰 통찰력을 제공해준다.

성경만 읽는 것이 아니라, 성경과 자본론을 같이 읽으면 많은 것을 정리할 수 있다. 진보와 빈곤이라는 책과 성경을 같이 읽어보면 이런 현상이 반복된다. 성경은 정말 탁월한 책이다. 토지의 기원에서부터 분배, 토지와 관련한 수많은 근본들을 말씀하신다. 진보와 빈곤을 성경보다 더 높이 두면 지혜를 얻을 수 없다. 성경 말씀의 빛 아래서 진보와 빈곤을 다시 읽어보라고 지대조세론 자들에게 권해드린다.

부동산 문제는 1800년대 헨리 조지의 시대에 갑자기 생겨난 것이 아니다. 이스라엘이 가나안 땅에 들어가기 전에 이미 하나님께선 모세를 통해 이 문제의 심각성을 말씀하시고 대안을 주셨다. 그것이 희년이다. 그러나 이스라엘은 BC 1500년경에 가나안 땅에 들어가서 많은 문제를 일으켰고, 결국 BC 700여년경 이사야 시대에 이 문제가 회복 불가한 상태까지 이르렀으며 그 결과 앗수르에 망하는 원인이 된다.

하지만 남유다는 북이스라엘의 일을 교훈으로 삼지 못하고 다시 BC 500여년 경 바벨론에게 망한다. 하지만 70년 후 귀환해서도 정신을 차리지 못하고 부동산 투기에 노출된다. 이를 호되게 꾸짖는 분이 느헤미야이시다.

예수님 당시의 이스라엘도 마찬가지 사회였다. 부자와 권력자들은 가난한 자의 권리를 박탈했다. 그리고 이스라엘은 2천 년간 나라 없는 민족이 된다. 이는 이미 신명기에서 예언된 일이다.

인류 역사에서 뿌리 깊은 부동산 투기 문제를 헨리 조지가 갑자기 나서서 처음으로 답변을 제시한 것이 아니다.

사회주의도 성경의 노동관을, 성경의 분배 원칙을 적용했다면 생겨나지 않을 기형이었다. 이 사회주의의 기형을 피하고자 헨리 조지는 또 다른 기형을 만들어냈다.

해 아래 새 것은 없다. 인류가 스마트폰을 쓰든, 우주선을 날려 보내든 이것은 특별한 일이 아니다. 우리는 이보다 더 복잡한 우주 속에 살고 있고, 아직도 그 원리를 다 알지 못하고 지구 위에서 생활하고 있다. 우리의 몸은 우리가 다 알지 못한다.

우리도 알지 못하는 우리 몸을 우리 중 일부는 진화했다고 믿는다.

성경은 창조와 역사와 미래를 말씀하신다. 창조도 보지 못했고, 미래도 우리는 아직 볼 수 없으나 역사는 우리가 기록해왔다.

이스라엘은 성경이 진실임을 증명하는 역사다. 이스라엘의 긴 역사는 기록되어 왔다. 성경이 예언한대로 이스라엘 역사가 진행되었다. 그들이 희년을 지키지 않고, 동족 간에 고리대금을 하고, 동족을 착취하고 우상을 숭배하는 죄악을 범함으로써 그들은 큰 고초를 겪었고 예수님께서도 이 땅에 오셔서 여러 선지자들과 동일한 말씀을 전하셨지만 이스라엘은 하나님의 종들을 죽인 것처럼 이번에는 하나님의 아들도 죽였고 그들은 2천 년간 세계를 떠돌았고 세계 여러 민족이 이를 관찰했다. 이는 역사다.

한 나라의 역사를 통해 증명되는 것은 진실이다. 세상의 어떤 신도 하나님처럼 자신을 이렇게 역사 속에서 증명한 경우는 없다,

9. 국방의 의무를 수행한 사람에게 왜 집을 주지 않나

목숨이 중요할까, 집이 중요할까?

최근 한 조사에서 서울에서 50대 이상 중 자가 소유 비율이 50%를 약간 넘는다고 했다. 무주택자가 40%를 넘는 것이다. 결혼한 부부를 감안해도 약 30% 정도는 50대 이상의 연령에서 서

울에 집이 없는 무주택자인 것이다.

대한민국 남자는 국방의 의무를 진다. 목숨을 걸고 군대에 다녀온다. 그런데 이 땅에서 땅 한 평을 가지고 있지 못하다. 왜 자기 땅 한 평 없는 사람이 그 나라를 지키기 위해 목숨을 걸고 군복무를 마쳐야 하는가!

나는 85년도 6월에 입대해서 월급 6천 원 정도 받았던 것으로 기억한다. 춘천 102보충대, 11사단 홍천 훈련소를 거쳐 수도방위사 30경비단 5중대 그리고 사령부 비서실에서 1987년 9월 제대할 때 급여도 큰 차이가 나지 않았다. 서울에서 대학을 졸업하고 수도 서울을 지키는 임무를 수행하고 제대했지만, 서울에서 잘 곳이 없어서 성경 공부 모임 하는 데서 공부가 끝난 후 큰 탁자 위에서 잤다.

나는 이 일을 기억하고 2016년 군에서 제대한 후 잘 곳이 없는 형제를 내가 가진 오피스텔에서 생활하도록 도운 적이 있다. 30여년이 더 지난 서울에서 여전히 이런 일이 반복되고 있다는 점이 놀랍다. 신성한 국방의 의무를 27개월이나 행한 사람에게 국가가 이런 대접을 해준 것이다.

가난한 국민들에게 집의 소유권을 주는 것은 당연히 국가가 해야 할 의무다. 그들은 이 국가 속에서 국방의 의무도 다했고, 의무 교육도 받았다. 그들은 자녀를 낳은 경우가 많고 이 땅의 생산성 증가를 위해 기여했고, 납세의 의무, 특히 간접세 납세를 많이 하고 있다.

토지 임대부 형태로라도 그들에게 집의 소유권을 넘겨주어야 한다. 임대아파트에 가난한 서민들을 영구히 묶어 두는 것은 민주공화국에서 있어선 안 되는 일이다. 주권을 가진 국민들 중 다수인 서민들을 무주택자로 묶어두는 것은 북한과의 체제 경쟁에서 옳지 못한 일이다.

자력으로 집을 가질 수 있는 사람은 그렇게 하고, 그것이 어려우면 금융으로 돕고, 아예 이것도 어려운 사람들은 국가에서 지원해서 토지 임대부로라도 집을 가지게 해주어야 한다.

그리고 이에 보완하여 국민연금 등을 통해 중심지의 토지와 주택을 확보함으로써 국민이 소유와 임대료를 영구히 공유하는 형태를 만들어 가야 한다.

이것이 대한민국 부동산 영구평화안이다. 그리고 토지나 주택 관련 세금을 통해서 확보한 자금은 가난한 사람들이 집을 소유할 수 있도록 돕는 데 쓰여야 한다.

헨리 조지는 세금을 통해 부동산 투기 문제를 해결할 수 있다고 했으나 이는 성경적 방법이 아니다. 세금을 거두어서 무엇을 할 것인지 얘기하고 있지 못하기 때문이다.

그는 다른 모든 세금을 없애고 지대에서 거둔 세금만으로 재정을 운용할 수 있다고 말한다. 아주 잘못된 결론에 도달했다. 뒤에서 이 부분은 다시 논의하겠다. 헨리 조지 이론이 노무현 정부와 문재인 정부의 부동산 정책의 근간으로 쓰이는 것은 불행한 일이다.

북한은 마르크스 레닌주의로 망하고, 대한민국은 헨리 조지 때문에 망하는 일이 벌어지고 있다. 미국의 잘못된 기독교가 한국을 장악함으로써 한국 기독교의 왜곡이 일어난 것처럼, 미국의 헨리 조지 이론이 이젠 한국 부동산 시장을 혼란으로 몰아넣고 있다.

2003년에 헨리조지 이론을 신봉하는 성경적 토지 정의 모임 분들과 기나긴 논쟁을 했다. 헨리 조지 이론의 위험을 그 때 여러 차례 얘기했음에도 불구하고 현재의 문제들이 드러나 버렸다.

최근 유시민 작가가 헨리 조지의 진보와 빈곤을 읽고 감명 받은 듯하다. 그러나 이 책의 문제점을 잘 보지 못하고 있다는 생각이 든다. 미국에서도 헨리 조지 이론 신봉자들은 단일조세론자들이라고 해서 이론적 문제가 있다고 비판받고 있는데 한국에서 이런 양상이 벌어지고 있다.

10. 임대아파트 사는 것이 쪽팔린 일이라고 말하는 여인

지난 21대 총선 강남을에서 출마했을 때, 세곡중학교 앞 엘에이치 3단지 앞 정류장에서 선거 유세를 하고 있을 때였다.
한 40 초반으로 보이는 여인이 그 딸과 함께 버스를 기다리다가 갑자가 나에게 오더니 소리를 지르며 이 동네를 임대아파트라고 말하고 다닌다며 쪽 팔린다고 했다. 기가 막혔다. 참 교양이 없는 여자였다. 초등학교 6학년 쯤 되어 보이는 그 여인의 딸도 듣고 있었다.

내가 살고 있는 곳은 10년 공공임대와 장기 전세와 10년 분납

임대가 섞여 있는 엘에이치 강남힐스테이트 단지다. 자곡동에 있다. 그리고 바로 앞에는 국민임대 영구임대가 섞인 3단지이고 그 옆은 토지임대부인 4단지다. 아마도 이 여인은 분납임대나 공공임대에 사는 여인인 듯하다. 분양 받을 것인데 왜 임대라고 말 하냐는 것으로 보인다. 그러나 엄연히 분양 전까지는 공식 명칭이 임대아파트이다. 분납과 공공에 모두 임대가 붙어 있다. 여전히 소유권은 엘에이치, 한국토지주택공사에 있다.

그래서 내가 이 여인에게 말했다. 그러면 3단지 국민임대, 영구임대에 사는 분들이 쪽팔린 것인지..

대한민국에서 이런 악한 자들이 많다. 임대아파트 사는 것을 쪽팔려하고, 또 임대아파트 사는 분들을 무시하는 자들이다. 가난한 사람을 멸시하는 것은 그를 지으신 하나님을 멸시하는 것이라는 말씀이 있다. 이제 가난한 사람들에겐 주택 소유권이 주어져야 하고, 부자들은 임대아파트에 살아야 한다.

대한민국에서 완전하게 자기 주택을 소유한 자는 없다.

세금을 내니 국가에 임대료를 내는 것이고, 은행 대출이자를 내면 은행 소유의 근저당이 설정되어 있는 것이니 은행 임대아파트이고, 남의 집에 세 살면 그 주인의 아파트를 임대한 임차인인 되는 것이다. 그래서 대한민국엔 어떤 완벽한 집주인도 없다. 어떤 종류의 임대인가의 차이만 있을 뿐이다.

제2장

11. 천국의 토지 소유 형태는 어떻게 될까

우리는 이 땅에서 오래 살지 않고 죽는다. 인류의 역사는 길지만, 개개인이 이 땅에서 살아 있는 시간은 길지 않다. 짧게 살다가 죽은 죽음 뒤의 세상에서 우리는 어떤 삶의 방식을 취하게 될까?

만약 천국에 간다면 거기에서 우리의 토지 소유권 형태는 어떻게 될까? 여전히 등기를 하고, 세금을 내고 살까? 임차인들에게 세를 주고 임대료를 받을까?

누가복음 16장에서는 이와 관련한 약간의 단초를 찾을 수 있다. 이 땅에서 토지와 부를 많이 소유했던 한 부자와 또 반대로 너무도 가난하고 병든 몸이었던 나사로의 이야기다.

이 부자는 지옥에 떨어져 물 한모금도 구걸하는 신세가 되고 거지 나사로는 아브라함 할아버지의 품 안에서 행복한 시간을 보내고 있다. 이 부자에 대해 아브라함 할아버지는 이 부자가 이 땅에서 너무 많은 것을 누렸고, 거지 나사로는 반대였다고 말씀하시며 그 결과가 죽음 이후에 이렇게 갈라졌다는 것을 말씀하신다.

부자와 거지

19 한 부자가 있어 자색 옷과 고운 베옷을 입고 날마다 호화롭게 즐기더라

20 그런데 나사로라 이름하는 한 거지가 헌데 투성이로 그의 대문 앞에 버려진 채

21 그 부자의 상에서 떨어지는 것으로 배불리려 하매 심지어 개들이 와서 그 헌데를 핥더라

22 이에 그 거지가 죽어 천사들에게 받들려 아브라함의 품에 들어가고 부자도 죽어 장사되매

23 그가 음부에서 고통 중에 눈을 들어 멀리 아브라함과 그의 품에 있는 나사로를 보고

24 불러 이르되 아버지 아브라함이여 나를 긍휼히 여기사 나사로를 보내어 그 손가락 끝에 물을 찍어 내 혀를 서늘하게 하소서 내가 이 불꽃 가운데서 괴로워하나이다

25 아브라함이 이르되 얘 너는 살았을 때에 좋은 것을 받았고 나사로는 고난을 받았으니 이것을 기억하라 이제 그는 여기서 위로를 받고 너는 괴로움을 받느니라

26 그뿐 아니라 너희와 우리 사이에 큰 구렁텅이가 놓여 있어 여기서 너희에게 건너가고자 하되 갈 수 없고 거기서 우리에게 건너올 수도 없게 하였느니라

27 이르되 그러면 아버지여 구하노니 나사로를 내 아버지의 집에 보내소서

28 내 형제 다섯이 있으니 그들에게 증언하게 하여 그들로 이 고통 받는 곳에 오지 않게 하소서

29 아브라함이 이르되 그들에게 모세와 선지자들이 있으니 그들에게 들을지니라
30 이르되 그렇지 아니하니이다 아버지 아브라함이여 만일 죽은 자에게서 그들에게 가는 자가 있으면 회개하리이다
31 이르되 모세와 선지자들에게 듣지 아니하면 비록 죽은 자 가운데서 살아나는 자가 있을지라도 권함을 받지 아니하리라 하였다 하시니라 (개역개정)

천국은 침노하는 자들의 것이라고 예수님께서 말씀하셨다. 이제 진정한 부동산 투기는 천국에 투자되어야 하고 이 땅에서의 부동산은 가난한 사람들과 나누어야 한다. 그것이 천국에 부동산을 투자하는 길이다.

국가는 국민이 이렇게 천국에 부동산 투자를 하도록 선도해야 한다. 그리고 이 땅의 부동산은 빈부가 공유해야 한다. 그것이 그 부자가 그 형제들에게 전하고 싶었던 내용이다.

제 11 장

1 예수께서 열두 제자에게 명하기를 마치시고 이에 그들의 여러 동네에서 가르치시며 전도하시려고 거기를 떠나 가시니라
세례 요한(눅 7:18-35)
2 요한이 옥에서 그리스도께서 하신 일을 듣고 제자들을 보내어
3 예수께 여짜오되 오실 그이가 당신이오니이까 우리가 다른 이를 기다리오리이까
4 예수께서 대답하여 이르시되 너희가 가서 듣고 보는 것을 요한에게 알리되

5 맹인이 보며 못 걷는 사람이 걸으며 나병환자가 깨끗함을 받으며 못 듣는 자가 들으며 죽은 자가 살아나며 가난한 자에게 복음이 전파된다 하라

6 누구든지 나로 말미암아 실족하지 아니하는 자는 복이 있도다 하시니라

7 그들이 떠나매 예수께서 무리에게 요한에 대하여 말씀하시되 너희가 무엇을 보려고 광야에 나갔더냐 바람에 흔들리는 갈대냐

8 그러면 너희가 무엇을 보려고 나갔더냐 부드러운 옷 입은 사람이냐 부드러운 옷을 입은 사람들은 왕궁에 있느니라

9 그러면 너희가 어찌하여 나갔더냐 선지자를 보기 위함이었더냐 옳다 내가 너희에게 이르노니 선지자보다 더 나은 자니라

10 기록된 바 보라 내가 내 사자를 네 앞에 보내노니 그가 네 길을 네 앞에 준비하리라 하신 것이 이 사람에 대한 말씀이니라

11 내가 진실로 너희에게 말하노니 여자가 낳은 자 중에 세례 요한보다 큰 이가 일어남이 없도다 그러나 천국에서는 극히 작은 자라도 그보다 크니라

12 세례 요한의 때부터 지금까지 천국은 침노를 당하나니 침노하는 자는 빼앗느니라

13 모든 선지자와 율법이 예언한 것은 요한까지니

14 만일 너희가 즐겨 받을진대 오리라 한 엘리야가 곧 이 사람이니라

15 귀 있는 자는 들을지어다

16 이 세대를 무엇으로 비유할까 비유하건대 아이들이 장터에 앉아 제 동무를 불러

17 이르되 우리가 너희를 향하여 피리를 불어도 너희가 춤추지 않고 우리가 슬피 울어도 너희가 가슴을 치지 아니하였다 함과 같도다

18 요한이 와서 먹지도 않고 마시지도 아니하매 그들이 말하기를 귀신이 들렸다 하더니
19 인자는 와서 먹고 마시매 말하기를 보라 먹기를 탐하고 포도주를 즐기는 사람이요 세리와 죄인의 친구로다 하니 지혜는 그 행한 일로 인하여 옳다 함을 얻느니라
20 예수께서 권능을 가장 많이 행하신 고을들이 회개하지 아니하므로 그 때에 책망하시되
21 화 있을진저 고라신아 화 있을진저 벳새다야 너희에게 행한 모든 권능을 두로와 시돈에서 행하였더라면 그들이 벌써 베옷을 입고 재에 앉아 회개하였으리라
22 내가 너희에게 이르노니 심판 날에 두로와 시돈이 너희보다 견디기 쉬우리라
23 가버나움아 네가 하늘에까지 높아지겠느냐 음부에까지 낮아지리라 네게 행한 모든 권능을 소돔에서 행하였더라면 그 성이 오늘까지 있었으리라
24 내가 너희에게 이르노니 심판 날에 소돔 땅이 너보다 견디기 쉬우리라 하시니라
짐 진 자들아 내게로 오라(눅 10:21-22)
25 그 때에 예수께서 대답하여 이르시되 천지의 주재이신 아버지여 이것을 지혜롭고 슬기 있는 자들에게는 숨기시고 어린 아이들에게는 나타내심을 감사하나이다
26 옳소이다 이렇게 된 것이 아버지의 뜻이니이다
27 내 아버지께서 모든 것을 내게 주셨으니 아버지 외에는 아들을 아는 자가 없고 아들과 또 아들의 소원대로 계시를 받는 자 외에는 아버지를 아는 자가 없느니라

28 수고하고 무거운 짐 진 자들아 다 내게로 오라 내가 너희를 쉬게 하리라
29 나는 마음이 온유하고 겸손하니 나의 멍에를 메고 내게 배우라 그리하면 너희 마음이 쉼을 얻으리니
30 이는 내 멍에는 쉽고 내 짐은 가벼움이라 하시니라(개역개정)

서울과 대한민국이 회개하지 않고 부동산 투기에 계속 나설 때에는 고라신, 벳세다, 가버나움보다 더 큰 화가 있을 것이다. 이는 홍콩, 뉴욕, 런던, 파리, 도쿄 모두에게도 해당되는 진리이다.

12. 금융을 통한 부동산 시장 관리의 문제

이도 마찬가지다. 금융을 통해 부동산 시장을 관리하면 최후의 승자는 금융 자산 보유자다. 최대의 피해자는 금융 자산 미보유자이며, 고금리에 시달리는 저소득층이다.

이런 구조를 이해하지 못하고서 전가의 보도처럼 금융 규제를 통해 부동산 시장을 조절하려는 정책 당국자들의 어리석음은 죄악이다. 지식이 없으므로 망한다는 말씀이 있는데, 정책에서 지식은 너무도 중요하다.

경제가 어렵다고 기준금리를 제로금리로 가져다는 마당에 부동산 시장의 금융을 규제하는 것은 신규 진입을 제한하는 것이며 기존 기득권 세력과 금융 자산가, 금융 자본가들에게 유리한 구조다.

13. 지대조세제의 세금의 전가 문제

헨리 조지는 지대조세제를 통해 임대료를 세금으로 환수하면 부동산 투기가 사라질 것이라고 단순화해서 말하고 있는데 이는 실상을 전혀 이해하지 못하고 있는 관점이다.

때론 임대료보다 세금이 더 많은 극단적인 경우가 올 수도 없을 뿐만 아니라, 세금과 임대료가 같은 경우도 만들기 힘들다. 조세 저항이 크기 때문이다. 그보다 적은 세금이이도 조세 저항이 크며, 또한 그 세금이 임계점까지 임차인들에게 전가될 것이다. 이런 무모한 세금 정책을 통해 부동산 시장을 장악하겠다는 것은 처음부터 너무 어리석은 일이다.

미국의 1800년대 상황에서야 약간 고려해볼 수 있었지만, 이젠 국가를 넘볼 수 있는 경쟁 상대는 없다. 따라서 사회주의를 피하기 위해 만들어진 헨리 조지의 고육지책이 아니라, 국가가 국민 전체 공유를 통한 부동산 소유로 적극적으로 전환할 필요가 있다. 다른 글에서 이 부문은 여러 차례 반복해서 이야기해 보도록 하겠다.

14. 가난한 이에게 좋은 소식은 빚과 경제고통에서 해방

가난한 사람에게 복음이 전파된다는 말씀을 전혀 오해하고 있는 한국 기독교다.

마태복음 11장 초입에 다음과 같은 말씀이 있다.

1 예수께서 열두 제자에게 명하기를 마치시고 이에 그들의 여러 동네에서 가르치시며 전도하시려고 거기를 떠나 가시니라

세례 요한(눅 7:18-35)

2 요한이 옥에서 그리스도께서 하신 일을 듣고 제자들을 보내어

3 예수께 여짜오되 오실 그이가 당신이오니이까 우리가 다른 이를 기다리오리이까

4 예수께서 대답하여 이르시되 너희가 가서 듣고 보는 것을 요한에게 알리되

5 맹인이 보며 못 걷는 사람이 걸으며 나병환자가 깨끗함을 받으며 못 듣는 자가 들으며 죽은 자가 살아나며 가난한 자에게 복음이 전파된다 하라

위에서 가난한 자에게 복음이 전파된다는 것이 그리스도의 증거인데 가난한 사람에게 좋은 소식은 무엇일까!

그들이 겪고 있는 빚 고통과 여러 경제적 고통에서 해방되는 일이며, 그들에게 다시 희년의 땅이 돌아오는 일이었다.

그런데 이것을 유럽 기독교, 그리고 미국 기독교가 제대로 전하지 못했고, 다시 왜곡된 형태로 한국 기독교로 전파되어오면서 종교 기독교가 되었다. 본 회퍼 조차도 그리스도를 믿는 일은 종교가 아니라고 한 것에 정면으로 위배되는 형태의 기독교가 되어서 전파되었고 이는 개독교라는 험한 말도 듣게 되었다.

느헤미야가 귀환한 이스라엘의 백성들이 겪는 경제적 고통 앞에서 자신의 재물을 내어놓고, 다른 귀족들에게도 서민들의 고통에서 그들을 해방하는 일에 앞장서라고 촉구한 것, 그리고 그들이 바벨론 포로가 된 것이 바로 이런 동족 착취의 악행 때문

이라고 한 것을 다시 세례 요한과 예수님은 동일하게 전파하고 계시다.

그런데 한국 기독교는 철저히 종교화되어버렸다. 내세에 천국에 들어가게 해준다고 하는 구원론을 전파하면서 지금 그들이, 같은 교인들이 겪고 있는 가난의 문제, 집의 문제, 땅의 문제는 각각 알아서 해결하라고 하면서 교회 내의 부자들은 돈과 땅과 집을 축적하고 있다.

느헤미야의 행동은 5장에 잘 나타나 있는데 참으로 놀랍다. 오늘날의 교회 지도자들과 비교해볼 때.

제 5 장

1 그 때에 백성들이 그들의 아내와 함께 크게 부르짖어 그들의 형제인 유다 사람들을 원망하는데

2 어떤 사람은 말하기를 우리와 우리 자녀가 많으니 양식을 얻어 먹고 살아야 하겠다 하고

3 어떤 사람은 말하기를 우리가 밭과 포도원과 집이라도 저당 잡히고 이 흉년에 곡식을 얻자 하고

4 어떤 사람은 말하기를 우리는 밭과 포도원으로 돈을 빚내서 왕에게 세금을 바쳤도다

5 우리 육체도 우리 형제의 육체와 같고 우리 자녀도 그들의 자녀와 같거늘 이제 우리 자녀를 종으로 파는도다 우리 딸 중에 벌써 종된 자가 있고 우리의 밭과 포도원이 이미 남의 것이 되었으나 우리에게는 아무런 힘이 없도다 하더라

6 내가 백성의 부르짖음과 이런 말을 듣고 크게 노하였으나

7 깊이 생각하고 귀족들과 민장들을 꾸짖어 그들에게 이르기를 너희가 각기 형제에게 높은 이자를 취하는도다 하고 대회를 열고 그들을 쳐서
8 그들에게 이르기를 우리는 이방인의 손에 팔린 우리 형제 유다 사람들을 우리의 힘을 다하여 도로 찾았거늘 너희는 너희 형제를 팔고자 하느냐 더구나 우리의 손에 팔리게 하겠느냐 하매 그들이 잠잠하여 말이 없기로
9 내가 또 이르기를 너희의 소행이 좋지 못하도다 우리의 대적 이방 사람의 비방을 생각하고 우리 하나님을 경외하는 가운데 행할 것이 아니냐
10 나와 내 형제와 종자들도 역시 돈과 양식을 백성에게 꾸어 주었거니와 우리가 그 이자 받기를 그치자
11 그런즉 너희는 그들에게 오늘이라도 그들의 밭과 포도원과 감람원과 집이며 너희가 꾸어 준 돈이나 양식이나 새 포도주나 기름의 백분의 일을 돌려보내라 하였더니
12 그들이 말하기를 우리가 당신의 말씀대로 행하여 돌려보내고 그들에게서 아무것도 요구하지 아니하리이다 하기로 내가 제사장들을 불러 그들에게 그 말대로 행하겠다고 맹세하게 하고
13 내가 옷자락을 털며 이르기를 이 말대로 행하지 아니하는 자는 모두 하나님이 또한 이와 같이 그 집과 산업에서 털어 버리실지니 그는 곧 이렇게 털려서 빈손이 될지로다 하매 회중이 다 아멘 하고 여호와를 찬송하고 백성들이 그 말한 대로 행하였느니라
14 또한 유다 땅 총독으로 세움을 받은 때 곧 아닥사스다 왕 제이십년부터 제삼십이년까지 십이 년 동안은 나와 내 형제들이 총독의 녹을 먹지 아니하였느니라

15 나보다 먼저 있었던 총독들은 백성에게서, 양식과 포도주와 또 은 사십 세겔을 그들에게서 빼앗았고 또한 그들의 종자들도 백성을 압제하였으나 나는 하나님을 경외하므로 이같이 행하지 아니하고
16 도리어 이 성벽 공사에 힘을 다하며 땅을 사지 아니하였고 내 모든 종자들도 모여서 일을 하였으며
17 또 내 상에는 유다 사람들과 민장들 백오십 명이 있고 그 외에도 우리 주위에 있는 이방 족속들 중에서 우리에게 나아온 자들이 있었는데
18 매일 나를 위하여 소 한 마리와 살진 양 여섯 마리를 준비하며 닭도 많이 준비하고 열흘에 한 번씩은 각종 포도주를 갖추었나니 비록 이같이 하였을지라도 내가 총독의 녹을 요구하지 아니하였음은 이 백성의 부역이 중함이었더라
19 내 하나님이여 내가 이 백성을 위하여 행한 모든 일을 기억하사 내게 은혜를 베푸시옵소서 (개역개정)

오늘날의 한국의 부자와 권력자들과 종교 지도자들의 모습은 예수님 당시의 서기관과 바리새인들과 너무도 유사하다. 온갖 짐을 교인들에게 전가하면서 자기들은 손가락 하나도 힘을 쓰지 않고, 돈을 사랑해서 집과 재산을 늘리기에 급급하다.

마태복음 23장을 보자.

1 이에 예수께서 무리와 제자들에게 말씀하여 이르시되
2 서기관들과 바리새인들이 모세의 자리에 앉았으니
3 그러므로 무엇이든지 그들이 말하는 바는 행하고 지키되 그들이 하는 행위는 본받지 말라 그들은 말만 하고 행하지 아니하며

4 또 무거운 짐을 묶어 사람의 어깨에 지우되 자기는 이것을 한 손가락으로도 움직이려 하지 아니하며
5 그들의 모든 행위를 사람에게 보이고자 하나니 곧 그 경문 띠를 넓게 하며 옷술을 길게 하고
6 잔치의 윗자리와 회당의 높은 자리와
7 시장에서 문안 받는 것과 사람에게 랍비라 칭함을 받는 것을 좋아하느니라
8 그러나 너희는 랍비라 칭함을 받지 말라 너희 선생은 하나요 너희는 다 형제니라

15. 부자와 권력자는 자녀에게 집을 물려준다.

국가가 가난한 국민에게 집을 물려주어야 한다. 이것이 희년이다. 부자와 권력자는 자기 자식에게 집과 돈을 물려준다. 21대 총선에서 나는 서민 무이자 대출과 공공임대 감정가 소유권 이전이라는 공약을 냈었다. 그런데 서민 무이자 대출 공약이 허경영 같다면서 선배들이 비웃었고 한 선배는 나에게 욕도 했고 폭력을 행사했다. 선거 기간이었기 때문에 후보자 위해 행위였다.

그런데 나를 때린 선배는 중앙 부처 고위 공직자 출신이었고 강남에 집이 있고, 자녀들도 그러했다. 자녀들도 다 좋은 대학 나와서 강남에 집들이 있다.

자기 자식들을 위해선 이렇게 많은 것을 넘겨준 사람이 내가 낸 공약에 대해선 이렇게 분노했다. 나의 이 공약은 내가 스스

로 실천해본 것들이다. 300만원에서 많게는 1억 원 정도까지 주변에 고금리로 시달리는 사람들에게 돈을 꾸어주고 무이자로 원금만 상환 받았고, 그것도 7년 내 상환하지 못하면 탕감해주었다. 모세오경에 나오는 방법을 그대로 썼다.

빚에서 벗어나려면 무이자가 대단히 중요하다. 한은 기준 금리가 0.5%인 나라에서 카드론 금리는 24%까지 나간다. 삼성전자라도 이런 금리로는 사업을 영위할 수 없다. 서민들이 카드론을 빌릴 정도이면 다는 아니어도 이미 여러 경제적 어려움에 봉착해 있을 것이고 다른 빚들도 있을 것이다. 이런 어려운 처지에 있는 사람들에게 24%의 금리를 받는 것은 그들로 하여금 그 빚의 고리에서 헤어날 수 없도록 만든다.

성경에서 무이자로 빌려주라 하신 이유는 바로 이 점에 있다. 그 사회 구성원의 안정적 경제생활이 국가 존속의 필수적 요소이기 때문이다. 예수님도 꾸고자 하는 자에게 꾸어주라 하셨다.(마태복음 5:42). 부자는 왜 자기자식에게는 돈도 그저 주고 집도 주면서 남의 자식들에게 주면 사회주의라고 비판하는 것일까?

예수님은 말씀을 전하시다가 자기 어머니와 형제들이 왔다고 사람들이 말하자, 누가 내 모친이고 형제냐고 반문하시면서 하나님의 뜻대로 행하는 사람이 자신의 모친이고 형제라고 말씀하셨다.

나는 2016년도에 내가 살던 집을 세놓았다가 바로 얼마 지나지 않아서 그 집에 세들 어온 사람들에게 그 집을 팔았다. 7억 1천만 원에 팔았는데, 그것도 1천만 원 깎아달라고 해서 깎아

준 값이다. 4년이 지난 지금 15억 원 정도 한다고 한다. 내가 내놓은 정책을 나는 나에게 실험해보았다. 내 자식에게 증여하지 않고 내 집에 세든 사람에게 저렴하게 팔았다.

인류는 아담과 하와에서 나왔다. 진화론은 그렇게 이야기하지 않는다. 이는 믿음적 선택이다. 아담과 하와 이 두 분에게서 나온 후손들이라면 우리는 모두 한 가족이다.

대한민국을 이루는 국민 중에 가난한 사람이 나의 아들과 나의 딸이라면 집을 주고 돈을 주는 것이 너무도 당연한 일이다. 희년의 정신으로 우리는 가난한 사람들, 무주택자들을 돌보아야 한다. 이것이 장기적으로 대한민국이 살 길이다.

부자 3대 못 간다는 말이 있다. 누구라도 가난해질 수 있다. 그래서 우리는 사회적 보호가 필요하다.

16. 마키아벨리의 로마사론과 부동산 투기

마키아벨리는 로마사론에서 한 국가의 멸망은 부패에서 기인하는데 이 부패는 부의 극심한 편중에서 온다고 이야기한다.

지금 대한민국에서 부동산 자산 격차는 임금 격차보다 훨씬 더 큰 문제가 된다. 이 부동산 자산 격차는 장단주기 분배를 통해 풀어내야 한다. 생활수단 및 생산 수단의 장단주기 복합 분배다.

단순히 헨리 조지의 지대조세제에 근거한 세금 정책으로 부동산 문제를 풀 수 있다고 생각하는 것은 어리석다.

장주기로 다시 부동산 소유의 평등 구조를 만들어내는 것 이것이 희년의 원칙이었다. 한 국가의 구성원인 국민 사이에 부동산 소유의 격차가 극심해지면 이는 반드시 부패 사회로 이어진다. 그 격차를 줄이기 위한 각종 부패가 만연하게 된다.

인간은 기본적으로 평등을 지향한다. 이 점을 파고든 것이 사회주의다. 지금 대한민국은 결코 민주 공화국이 아니다. 권력은 국민에게 있지 않고 부자에게 있다.

민주제의 근간인 정당 정치조차 정당 설립의 자유가 보장된다고 하나 실은 그렇지 않다. 대한민국에서 정당을 설립하려면 창당 준비위 신고를 하고서 6개월 안에 5천명의 당원을 확보해서 중앙선관위에 신고해야 한다. 영세 자영업자가 사업자등록증을 얻기 위해 고객을 5천명 확보해오라 하면 어떻게 이 일이 가능하겠는가!

내가 아무리 맛있는 조리법을 개발해서 새로 식당을 열려고 해도 6개월 안에 5천명의 고객을 확보해서 세무서에서 사업자 등록증을 낼 수 있다면 이렇게 할 수 있는 자영업자는 많지 않다.

장사를 꾸준히 해서 고객을 확보하기도 쉽지 않은데, 사업자등록증도 내지 못한 상태에서 5천명을 확보해야 등록증을 내준다는 것은 있을 수 없는 일이다. 이런 비민주적인 법을 만든 것이 더불어민주당과 국민의 힘 등 기존 정치 세력들이다.

만약 무소속으로 출마하려고 해도 여러 제약들이 있다. 국회의원 선거의 경우 지역 주민 300명의 서명을 6일 정도에 받아야 한다. 이런 코로나 시국에 이 서명을 받는 일은 쉽지 않다.

서울 시장 선거의 경우 무소속으로 출마하려면 1,000 명의 서명을 받아야 한다. 돈이 없으면 정치를 할 수 없다. 후원회도 국회의원은 상시 가능하지만 원외의 후보나 무소속은 평시엔 불가하고 선거 기간 몇 개월만 가능하다. 기존 정치 세력의 비호 아래에서 정치를 시작하지 않고 새로운 정치를 시작하기란 참으로 힘들고 어려운 길이다.

나는 34살에 국회의원 선거에 무소속으로 출마해서 5번의 총선과 강남구청장 선거까지 모두 6번을 출마했다. 프랑스는 10 여명만 있으면 정당 창당이 된다고 한다. 신규 진입이 쉬워야 새로운 정치가 일어날 수 있다. 벤처 기업 창업이 어려운 나라는 스타트 업 기업들이 일어나기 어렵다.

부동산과 관련한 새로운 아이디어와 정책을 가진 새로운 정당이 나타나기 어렵다. 그래도 좁은 문으로 들어가길 힘써야 한다. 선지자들과 예수님의 길이 그러하셨다. 그러나 하나님께서는 반드시 이 땅 가운데 정의를 이루어내실 것이다.

17. 희년은 세금을 거두는 해가 아니라 가난한 사람에게 땅을 돌려주는 해였다.

희년은 세금을 거두는 해가 아니라, 가난한 사람들, 그들의 조상들이 땅을 팔아버려서 아무 땅도 가지지 못한 사람들에게 땅을 거저 돌려주어야 하는 해였다.

그러면 왜 이런 제도를 마련하셨을까!

이스라엘은 가나안 땅을 민족 전체가 전쟁을 통해서 차지한 후 이를 12지파가 분할해서 나누었고, 그 지파 속에서 각 가계가 그 가족 수에 따라 나누었다. 그러나 살다보면 여러 경제적인 이유도 생기고 해서 그 땅을 팔아야 하는 때가 생긴다. 이런 사정을 감안해서 토지를 사고팔게 하셨다. 그러나 이것이 영구히 이어지는 것을 방지하기 위해 매 50년이 되면 그 선조가 팔아버린 땅을 다시 그 자손이 거저 돌려받게 하셨다.

가난의 대물림을 끊기 위한 조치였다. 50년이면 2대 혹은 3대 더 길면 4대 정도 지나서의 일이다. 이스라엘이라는 나라의 영구적 번영을 위해선 가난한 사람들이 망해서 그 땅을 떠나는 것을 막기 위한 것이고, 빈부의 극심한 격차로 인한 사회적 부패를 막기 위한 조치였다.

50년 이라는 긴 기간을 두신 것은 인간의 수명과도 무관치 않다고 볼 수 있다. 부모의 경제적 실패가 자손에게 영구적으로 이어지는 것을 막을 수 있으며, 희망을 가지고 그 가난을 견딜 수 있게 하는 것이며 생산의 3대 요소 중 가장 중요한 자산인 토지를 다시 돌려받음으로써 재기할 수 있게 해주며 국가 공동체의 일원으로서 품위를 유지하게 해준다.

그런데 우리 사회엔 이런 요소가 없다.

생활수단은 단기적 분배하고, 생산 수단 중 노동과 자본은 7년 단위로 분배하고 토지는 50년 단위로 분배함으로써 사회주의 방식의 도덕적 해이도 없고, 자본주의 방식의 빈부격차 확대도 막아준다.

본인이 쓴 장단주기 분배론이라는 책에선 이를 전반적으로 다루고 있는데 이번 책에서는 부동산과 관련해서 보다 집중적 논의를 하고자 한다.

아래는 희년에 관한 성경 말씀 내용이다. 레위기 25장이다.

우리의 임대 정책은 희년 요소가 없다. 영구히 임대 아파트에 거하게 하는 것은 희년이 아니다. 그래서 대한민국의 임대정책은 바뀌어야 한다. 헨리 조지식의 지대조세제는 희년의 방식이 아니다.

이 방식이 조금이라도 희년적인 것이 되려면 토지 관련해서 거둔 세금들이 가난한 사람들의 토지 확보에 쓰여야 한다.
재정 정책을 통해 임대 아파트 거주자들에게 토지 임대부로라도 그 주거지의 소유권을 돌려주어야 한다.

또 자본주의화된 생산 양식에 따라 국민연금을 통해 토지를 장악하고 그 임대료가 온 국민에게 지속적으로 돌려지게 하는 것도 한 방법이며, 농경 시대의 토지를 오늘날의 인적 능력 개발이라는 관점에서 보면 교육을 무상으로 가난한 사람들에게 제공하는 것도 한 방법이다.

이렇게 우리 시대에 맞게 희년의 정신을 지속해야 한다.
8 너는 일곱 안식년을 계수할지니 이는 칠 년이 일곱 번인즉 안식년 일곱 번 동안 곧 사십구 년이라
9 일곱째 달 열흘날은 속죄일이니 너는 뿔나팔 소리를 내되 전국에서 뿔나팔을 크게 불지며
10 너희는 오십 년째 해를 거룩하게 하여 그 땅에 있는 모든 주민을

위하여 자유를 공포하라 이 해는 너희에게 희년이니 너희는 각각 자기의 소유지로 돌아가며 각각 자기의 가족에게로 돌아갈지며

11 그 오십 년째 해는 너희의 희년이니 너희는 파종하지 말며 스스로 난 것을 거두지 말며 가꾸지 아니한 포도를 거두지 말라

12 이는 희년이니 너희에게 거룩함이니라 너희는 밭의 소출을 먹으리라

부당한 이익을 취하지 말라

13 이 희년에는 너희가 각기 자기의 소유지로 돌아갈지라

14 네 이웃에게 팔든지 네 이웃의 손에서 사거든 너희 각 사람은 그의 형제를 속이지 말라

15 그 희년 후의 연수를 따라서 너는 이웃에게서 살 것이요 그도 소출을 얻을 연수를 따라서 네게 팔 것인즉

16 연수가 많으면 너는 그것의 값을 많이 매기고 연수가 적으면 너는 그것의 값을 적게 매길지니 곧 그가 소출의 다소를 따라서 네게 팔 것이라

17 너희 각 사람은 자기 이웃을 속이지 말고 네 하나님을 경외하라 나는 너희의 하나님 여호와이니라

18 너희는 내 규례를 행하며 내 법도를 지켜 행하라 그리하면 너희가 그 땅에 안전하게 거주할 것이라

19 땅은 그것의 열매를 내리니 너희가 배불리 먹고 거기 안전하게 거주하리라

20 만일 너희가 말하기를 우리가 만일 일곱째 해에 심지도 못하고 소출을 거두지도 못하면 우리가 무엇을 먹으리요 하겠으나

21 내가 명령하여 여섯째 해에 내 복을 너희에게 주어 그 소출이 삼 년 동안 쓰기에 족하게 하리라

22 너희가 여덟째 해에는 파종하려니와 묵은 소출을 먹을 것이며 아홉째 해에 그 땅에 소출이 들어오기까지 너희는 묵은 것을 먹으리라
23 토지를 영구히 팔지 말 것은 토지는 다 내 것임이니라 너희는 2) 거류민이요 동거하는 자로서 나와 함께 있느니라
24 너희 기업의 온 땅에서 그 토지 무르기를 허락할지니
25 만일 네 형제가 가난하여 그의 기업 중에서 얼마를 팔았으면 그에게 가까운 기업 무를 자가 와서 그의 형제가 판 것을 무를 것이요
26 만일 그것을 무를 사람이 없고 자기가 부유하게 되어 무를 힘이 있으면
27 그 판 해를 계수하여 그 남은 값을 산 자에게 주고 자기의 소유지로 돌릴 것이니라
28 그러나 자기가 무를 힘이 없으면 그 판 것이 희년에 이르기까지 산 자의 손에 있다가 희년에 이르러 돌아올지니 그것이 곧 그의 기업으로 돌아갈 것이니라
29 성벽 있는 성 내의 가옥을 팔았으면 판 지 만 일 년 안에는 무를 수 있나니 곧 그 기한 안에 무르려니와
30 일 년 안에 무르지 못하면 그 성 안의 가옥은 산 자의 소유로 확정되어 대대로 영구히 그에게 속하고 희년에라도 돌려보내지 아니할 것이니라
31 그러나 성벽이 둘리지 아니한 촌락의 가옥은 나라의 전토와 같이 물러 주기도 할 것이요 희년에 돌려보내기도 할 것이니라
32 레위 족속의 성읍 곧 그들의 소유의 성읍의 가옥은 레위 사람이 언제든지 무를 수 있으나
33 만일 레위 사람이 무르지 아니하면 그의 소유 성읍의 판 가옥은 희년에 돌려 보낼지니 이는 레위 사람의 성읍의 가옥은 이스라엘 자

손 중에서 받은 그들의 기업이 됨이니라

34 그러나 그들의 성읍 주위에 있는 들판은 그들의 영원한 소유지이니 팔지 못할지니라

35 네 형제가 가난하게 되어 빈 손으로 네 곁에 있거든 너는 그를 도와 거류민이나 동거인처럼 너와 함께 생활하게 하되

36 너는 그에게 이자를 받지 말고 네 하나님을 경외하여 네 형제로 너와 함께 생활하게 할 것인즉

37 너는 그에게 이자를 위하여 돈을 꾸어 주지 말고 이익을 위하여 네 양식을 꾸어 주지 말라

38 나는 너희의 하나님이 되며 또 가나안 땅을 너희에게 주려고 애굽 땅에서 너희를 인도하여 낸 너희의 하나님 여호와이니라

39 너와 함께 있는 네 형제가 가난하게 되어 네게 몸이 팔리거든 너는 그를 종으로 부리지 말고

40 품꾼이나 동거인과 같이 함께 있게 하여 희년까지 너를 섬기게 하라

41 그 때에는 그와 그의 자녀가 함께 네게서 떠나 그의 가족과 그의 조상의 기업으로 돌아가게 하라

42 그들은 내가 애굽 땅에서 인도하여 낸 내 종들이니 종으로 팔지 말 것이라

43 너는 그를 엄하게 부리지 말고 네 하나님을 경외하라

44 네 종은 남녀를 막론하고 네 사방 이방인 중에서 취할지니 남녀 종은 이런 자 중에서 사올 것이며

45 또 너희 중에 거류하는 동거인들의 자녀 중에서도 너희가 사올 수 있고 또 그들이 너희와 함께 있어서 너희 땅에서 가정을 이룬 자들 중에서도 그리 할 수 있은즉 그들이 너희의 소유가 될지니라

46 너희는 그들을 너희 후손에게 기업으로 주어 소유가 되게 할 것이라 이방인 중에서는 너희가 영원한 종을 삼으려니와 너희 동족 이스라엘 자손은 너희가 피차 엄하게 부리지 말지니라
47 만일 너와 함께 있는 거류민이나 동거인은 부유하게 되고 그와 함께 있는 네 형제는 가난하게 되므로 그가 너와 함께 있는 거류민이나 동거인 또는 거류민의 가족의 후손에게 팔리면
48 그가 팔린 후에 그에게는 속량 받을 권리가 있나니 그의 형제 중 하나가 그를 속량하거나
49 또는 그의 삼촌이나 그의 삼촌의 아들이 그를 속량하거나 그의 가족 중 그의 살붙이 중에서 그를 속량할 것이요 그가 부유하게 되면 스스로 속량하되
50 자기 몸이 팔린 해로부터 희년까지를 그 산 자와 계산하여 그 연수를 따라서 그 몸의 값을 정할 때에 그 사람을 섬긴 날을 그 사람에게 고용된 날로 여길 것이라
51 만일 남은 해가 많으면 그 연수대로 팔린 값에서 속량하는 값을 그 사람에게 도로 주고
52 만일 희년까지 남은 해가 적으면 그 사람과 계산하여 그 연수대로 속량하는 그 값을 그에게 도로 줄지며
53 주인은 그를 매년의 삯꾼과 같이 여기고 네 목전에서 엄하게 부리지 말지니라
54 그가 이같이 속량되지 못하면 희년에 이르러는 그와 그의 자녀가 자유하리니
55 이스라엘 자손은 나의 종들이 됨이라 그들은 내가 애굽 땅에서 인도하여 낸 내 종이요 나는 너희의 하나님 여호와이니라

18. 스스로 지혜롭다고 여기는 어리석은 정책자들

성경 잠언 26장에는 다음과 같은 말씀이 있다.

12 네가 스스로 지혜롭게 여기는 자를 보느냐 그보다 미련한 자에게 오히려 희망이 있느니라

정부의 부동산 정책 입안 관련자들에게 합당한 말씀으로 보인다.

다시 잠언 28장에는 다음과 같은 말씀이 있다.

5 악인은 정의를 깨닫지 못하나 여호와를 찾는 자는 모든 것을 깨닫느니라

세상엔 스스로 지혜롭다고 하는 사람들이 많고 책도 많고, 정책도 많다. 그런데 하나님의 말씀을 떠난 지혜자들이 많다.

마르크스나 헨리 조지나 그들이 진정 하나님의 말씀을 자신의 생각보다 높이 두었다면, 그리고 사회주의 이론가들이든, 자본주의 이론가들이든, 시장주의자들이든 그렇게 했다면 훨씬 더 유익한 깨달음을 이 땅에 주었으리라.

일만 마디 방언 기도보다 깨달은 마음으로 다섯 마디 가르치는 것이 더 유익하다고 사도 바울께서 말씀하셨다.

지금 대한민국의 위쪽은 마르크스 레닌주의와 모택동 사상, 시진핑 사상에 김일성 사상이 합해져 있고, 우리는 여러 자본주의 시장 경제 사상이 우위를 점하고 있다. 거기에 부동산 시장에서는 헨리 조지 이론이 급부상하고 있다.

그런데 이들이 하나님의 말씀을 등한히 한다면 그들의 지혜는 이미 먹을 수 없는 무화과 같은 것이다. 시편 119편은 정책 입

안자들이 왜 하나님의 말씀을 묵상해야 하는지 잘 보여주고 있다.

96 내가 보니 모든 완전한 것이 다 끝이 있어도 주의 계명들은 심히 넓으니이다

97 내가 주의 법을 어찌 그리 사랑하는지요 내가 그것을 종일 작은 소리로 읊조리나이다

98 주의 계명들이 항상 나와 함께 하므로 그것들이 나를 원수보다 지혜롭게 하나이다

99 내가 주의 증거들을 늘 읊조리므로 나의 명철함이 나의 모든 스승보다 나으며

100 주의 법도들을 지키므로 나의 명철함이 노인보다 나으니이다

위의 말씀을 깊이 묵상하면 이는 다시 예레미야의 무화과 이야기를 생각나게 한다. 이스라엘의 패망 앞에서 많은 지혜 자들이 서로 자신의 의견이 옳다고 말했을 것이다. 그러나 한 쪽은 결국 썩은 무화과였다. 지금 대한민국의 부동산 시장을 둘러싼 여러 이론 중 이런 이론들이 존재한다.

다음의 예레미야서 24장 말씀은 우리에게 깊은 통찰력을 주신다.

1 바벨론의 느부갓네살 왕이 유다 왕 여호야김의 아들 여고냐와 유다 고관들과 목공들과 철공들을 예루살렘에서 바벨론으로 옮긴 후에 여호와께서 여호와의 성전 앞에 놓인 무화과 두 광주리를 내게 보이셨는데

2 한 광주리에는 처음 익은 듯한 극히 좋은 무화과가 있고 한 광주리에는 나빠서 먹을 수 없는 극히 나쁜 무화과가 있더라

3 여호와께서 내게 이르시되 예레미야야 네가 무엇을 보느냐 하시매 내가 대답하되 무화과이온데 그 좋은 무화과는 극히 좋고 그 나쁜 것은 아주 나빠서 먹을 수 없게 나쁘니이다 하니
4 여호와의 말씀이 또 내게 임하니라 이르시되
5 이스라엘의 하나님 여호와께서 이와 같이 말씀하시니라 내가 이 곳에서 옮겨 갈대아인의 땅에 이르게 한 유다 포로를 이 좋은 무화과 같이 잘 돌볼 것이라
6 내가 그들을 돌아보아 좋게 하여 다시 이 땅으로 인도하여 세우고 헐지 아니하며 심고 뽑지 아니하겠고
7 내가 여호와인 줄 아는 마음을 그들에게 주어서 그들이 전심으로 내게 돌아오게 하리니 그들은 내 백성이 되겠고 나는 그들의 하나님이 되리라
8 여호와께서 이와 같이 말씀하시니라 내가 유다의 왕 시드기야와 그 고관들과 예루살렘의 남은 자로서 이 땅에 남아 있는 자와 애굽 땅에 사는 자들을 나빠서 먹을 수 없는 이 나쁜 무화과 같이 버리되
9 세상 모든 나라 가운데 1)흩어서 그들에게 환난을 당하게 할 것이며 또 그들에게 내가 쫓아 보낼 모든 곳에서 부끄러움을 당하게 하며 말거리가 되게 하며 조롱과 저주를 받게 할 것이며

이스라엘은 하나님께서 보내신 예레미야의 조언을 듣지 않고 인간적인 지혜를 짜내서 계책을 세우다가 결국 멸망해간다.

레위기 20장의 다음 말씀은 여전히 유효하다.
22 너희는 나의 모든 규례와 법도를 지켜 행하라 그리하여야 내가 너희를 인도하여 거주하게 하는 땅이 너희를 토하지 아니하리라

신명기 4장에 다음의 말씀이 나온다.

8 오늘 내가 너희에게 선포하는 이 율법과 같이 그 규례와 법도가 공의로운 큰 나라가 어디 있느냐

성경은 단순히 종교 서적이 아니다. 인간 세계를 가장 잘 아시는 분께서 한 국가도 어떠한 제도가 필요한지 잘 아신다는 것은 진실이다. 이러한 소중한 유산을 버리고 우리들만의 생각으로 이 나라를 이끌려는 것은 어리석은 태도다. 그 바쁜 여호수아와 이스라엘 왕들에겐 성경 읽기 의무가 주어졌다. 정치와 정책의 기본서이다. 부동산 정책에서 성경을 보지 않고 답을 찾으려는 것은 제조사의 제품 설명서를 읽지 않는 것과 같다.

19. 생명을 위한 정책과 투자

누가복음 12장에서 예수님은 생명과 재산의 관계에 대해서 말씀하신다.

이 땅의 부자들의 일반적 행태가 잘 드러난다. 그러나 그들이 얼마나 어리석게 재산 관리를 하는지, 그 결과가 어떤 참담한 결과로 이어지는지 잘 말씀해주신다.

이 땅에서 우리는 길어야 80년 더 길면 100년 정도 살다가 알 수도 없는 곳으로 다 간다. 그런데 놀라운 것은 여기에서 내 주변에서 사람들이 죽어가도 산 사람은 거기에서 별로 지혜를

얻지 못한다는 점이다. 이는 한 부자와 거지 나사로의 예화에서도 잘 드러난다.

그 부자의 친척들은 아무리 거지 나사로가 살아서 돌아가서 이 땅에서의 부의 홀로 누림이 어떤 결과를 가져오는지 얘기해주어도 듣지 않으리라는 점이다.

이 땅에서의 짧은 여생을 위해 생명보험을 드는 사람이 죽음 뒤의 영원한 일에 대해선 아무런 대책이 없다.

다음은 누가복음 12장 중 일부이다.

15 그들에게 이르시되 삼가 모든 탐심을 물리치라 사람의 생명이 그 소유의 넉넉한 데 있지 아니하니라 하시고

16 또 비유로 그들에게 말하여 이르시되 한 부자가 그 밭에 소출이 풍성하매

17 심중에 생각하여 이르되 내가 곡식 쌓아 둘 곳이 없으니 어찌할까 하고

18 또 이르되 내가 이렇게 하리라 내 곳간을 헐고 더 크게 짓고 내 모든 곡식과 물건을 거기 쌓아 두리라

19 또 내가 내 영혼에게 이르되 영혼아 여러 해 쓸 물건을 많이 쌓아 두었으니 평안히 쉬고 먹고 마시고 즐거워하자 하리라 하되

20 하나님은 이르시되 어리석은 자여 오늘 밤에 네 영혼을 도로 찾으리니 그러면 네 준비한 것이 누구의 것이 되겠느냐 하셨으니

21 자기를 위하여 재물을 쌓아 두고 하나님께 대하여 부요하지 못한 자가 이와 같으니라

누가복음 16장 중 부자와 거지 나사로의 이야기는 다음과 같다.

19 한 부자가 있어 자색 옷과 고운 베옷을 입고 날마다 호화롭게 즐

기더라
20 그런데 나사로라 이름하는 한 거지가 헌데 투성이로 그의 대문 앞에 버려진 채
21 그 부자의 상에서 떨어지는 것으로 배불리려 하매 심지어 개들이 와서 그 헌데를 핥더라
22 이에 그 거지가 죽어 천사들에게 받들려 아브라함의 품에 들어가고 부자도 죽어 장사되매
23 그가 음부에서 고통중에 눈을 들어 멀리 아브라함과 그의 품에 있는 나사로를 보고
24 불러 이르되 아버지 아브라함이여 나를 긍휼히 여기사 나사로를 보내어 그 손가락 끝에 물을 찍어 내 혀를 서늘하게 하소서 내가 이 불꽃 가운데서 괴로워하나이다
25 아브라함이 이르되 얘 너는 살았을 때에 좋은 것을 받았고 나사로는 고난을 받았으니 이것을 기억하라 이제 그는 여기서 위로를 받고 너는 괴로움을 받느니라
26 그뿐 아니라 너희와 우리 사이에 큰 구렁텅이가 놓여 있어 여기서 너희에게 건너가고자 하되 갈 수 없고 거기서 우리에게 건너올 수도 없게 하였느니라
27 이르되 그러면 아버지여 구하노니 나사로를 내 아버지의 집에 보내소서
28 내 형제 다섯이 있으니 그들에게 증언하게 하여 그들로 이 고통 받는 곳에 오지 않게 하소서
29 아브라함이 이르되 그들에게 모세와 선지자들이 있으니 그들에게 들을지니라
30 이르되 그렇지 아니하니이다 아버지 아브라함이여 만일 죽은 자에

게서 그들에게 가는 자가 있으면 회개하리이다
31 이르되 모세와 선지자들에게 듣지 아니하면 비록 죽은 자 가운데서 살아나는 자가 있을지라도 권함을 받지 아니하리라 하였다 하시니라

진정한 정치는 요람에서 무덤까지만이 아니라, 사후 세계까지 이어져야 한다. 볼테르는 신이 계신지 알 수 없지만 자신은 신이 계시다는 쪽으로 거는 것이 보다 합리적이라고 했다.

만약 신이 계시지 않는다면 아무 문제가 없지만, 만약 정말 계셨는데 그 분의 말씀을 믿지 않고 살다가 사후에 큰 고통을 당하는 것보다는 신이 계시다고 믿고 사는 쪽이 설령 신이 계시지 않아도 보험 성격으로 선택하는 것이 지혜롭다고 이야기했다.

개인이나 국가도 이런 사후 보험적 생활과 정책이 필요하다. 생명 보험과 고령 대책만이 아니라 사후도 대비하여 이 땅에서 선을 행하는 것이 그렇지 않은 태도보다 백번 낫다.

설령 신이 계시지 않는다 할지라도 이 땅에서 선을 행하는 것은 그 자체로서도 보람되고 의미 있는 일이기 때문이다. 그런 국가는 그렇지 않은 국가보다 덜 위험하다. 신을 두려워하지 않는 사람은 위험하다고 볼테르가 이야기한 이유도 그러한 것이리라 생각된다.

부동산 정책은 다른 경제 정책과 함께 바로 이런 철학 위에서 실시되어야 한다.

20. 정부의 땅 팔기

정부의 토지 정책이 근본적으로 바뀌어야 한다. 이미 민간 소유가 된 땅들에 대해서도 시장을 통해 적정한 가격 수준에서 환수해가는 조치를 취해야 하지만 특히 신도시 개발이나 택지 개발, 공장 용지 개발 과정에서 정부가 땅을 파는 일은 절대 없어야 한다.

정부는 오직 땅을 임대할 뿐이어야 한다. 땅과 집값이 오르지 않는 범위 내에서 제한적으로 토지 규제를 완화한다고 한 이정우 대통령 자문 정책기원위원장의 발언[1]이 있었는데 아리랑당 창추위는 위와 같은 것보다 더 전향적 토지 정책이 실시되어야 한다고 본다.

개발 이익을 누가 가져갈 것인가에 대해 논란이 있다.[2] 누가 가져가든 결국 국민 모두에게 도움이 되지는 않는다. 따라서 택지 분양은 사라져야 하고 오직 임대할 뿐이어야 한다.

통계적으로 나타난다. 개발 이익이 누구에게 돌아갔는지.[3] 그러므로 정부는 근본적 정책 전환을 도모해야 한다.

----

1) 2004.03.19 [머니투데이 배성민기자] 이정우 대통령 자문 정책기획위원장은 19일 "토지규제 완화는 땅과 집값이 오르지 않는 범위 내에서 제한적이어야 할 것" 이라고 말했다.

이 위원장은 이날 과천 정부청사에서 열린 경제장관간담회에 참석하기에 앞서 "로드맵을 통한 토지규제 완화는 중복규제를 해소하는 차원에서 필요한 것으로 알고 있지만 지나친 가격 상승으로 이어져서는 곤란하다" 며 이같이 말했다.

그는 "현재 로드맵이 구체화되지 않은 만큼 현재 뭐라고 말하기는 힘들다" 며 "토지규제완화는 수십 개에 달하는 중복규제를 해소하는 차원으로 알고 있다" 고 말했다.

이 위원장은 탄핵 정국으로 노무현 대통령이 직무가 정지됨에 따라 "정책기획위원회 중심의 향후 국정과제 설정은 일단 중지된 상태" 라고 말했다.

배성민기자 baesm@moneytoday.co.kr 〈 저작권자 ⓒ머니투데이(경제신문) 〉

2) 개발 이익 누가 가져갈 것인가[머니투데이 남창균기자] 판교, 동탄신도시 등 공영개발로 공급되는 아파트 용지의 공급방식이 '뜨거운 감자'가 되고 있다. 이 문제는 정부가 아파트 용지 공급가격을 공개하겠다고 밝히면서 수면 위로 떠올랐다.

아파트 분양원가를 구성하는 아파트 용지 가격이 공개되면 자연스럽게 과다 분양가논란이 일수밖에 없다. 택지지구 아파트 용지가격이 민간택지보다 싸다는 것은 '공공연한 비밀'이기 때문이다.

이럴 경우 분양가를 내려야 한다는 목소리와 함께 현재 추첨방식으로 이뤄져 분양받은 업체가 개발이익을 독식하는 아파트 용지 공급방식을 바꿔야 한다는 지적이 거세질 수밖에 없다.

아파트 용지 공급방식은 개발이익을 누가 가져갈 것인가를 결정하는 문제와 직결되어 있다. 추첨방식은 건설업체가, 채권입찰제는 국가가, 완전 경쟁입찰제는 토공과 주공 등 시행사가 개발이익을 가져가게 된다.

이런 점을 감안해 정부는 채권입찰제 방식을 유력하게 검토하고 있다. 개발이익을 국고로 환수해 개발사업 등에 재투자할 수 있기 때문이다. 채권입찰제 방식은 시행사가 정한 공급가격과는 별도로 입찰상한가를 정해 채권을 가장 많이 구입한 업체가 택지를 분양 받는 방식이다.

하지만 채권입찰제 또한 문제가 적지 않다. 인기지역의 경우 입찰경쟁으로 인해 택지가격이 높아질 수밖에 없기 때문이다. 판교신도시의 경우 채권입찰제가 적용되면 예상 분양가인 평당 1100만원을 훌쩍 넘을 수밖에 없다는 게 주택업계의 설명이다. 분양가를 낮추기 위해 도입하려는 제도가 되레 분양가를 올리는 셈이 되는 것이다.

이에 따라 일각에서는 개발이익을 적정하게 나누자는 절충론도 제기되고 있다. 개발이익을 3~4등분해 국가, 건설업체, 수요자가 고루 나눠 갖자는 것이다. 하지만 이방식도 개발이익 산정과 수혜대상 선정 등 풀어야할 숙제가 많다.

정부는 택지공급제도 개선을 위해 분양원가 공개 찬성 측과 반대 측 관계자로 구성된 주택공급제도 검토위원회를 3차례 열었지만 뾰족한 대안을 찾지 못하고 있다.

현재로선 검토위원회의 갑론을박보다 정부의 추진의지가 중요해 보인다. 논란만 벌이다가 유야무야된 정책이 한둘이 아니기 때문이다.

남창균기자 namck@moneytoday.co.kr〈 저작권자 ⓒ머니투데이(경제신문) 〉

3) 상위가구 5% 토지 71%보유

[edaily 이경탑기자] 부동산시장의 보유편중 현상이 심각한 것으로 드러났다. 상위가구 5%가 종합토지세 대상토지의 71%를 차지하고, 상위 10%의 가구가 무려 86%를 보유하고 있는 것으로 조사됐다.

특히 부동산 세제를 투기억제수단으로서 효율적으로 활용하기 위해서는 현 부동산 관련세제의 전면 개편을 서둘러야 한다는 지적이 제기됐다.

23일 연세대학교 경제연구소(윤건영 교수)가 국회재정경제 위원회에 제출한 "부동산 관련 조세정책의 경제적 효과와 정책 방향" 이라는 연구용역 보고서에 따르면, 지난 1993년 종합토지세 대상토지의 소유분포를 분석한 결과상위 5% 가구가 전체 개인 소유 토지 가운데 면적기준으로 71%를 차지하고, 상위 10%가 86%를 보유한 것으로 조사됐다.

토지의 금액별 기준에서도 상위 5%는 전체 토지의 47%를, 10%는 51%를 보유한 것으로 나타났다.

금액별 기준으로 할 때 소유 집중도가 면적을 기준으로 할 때보다 상대적으로 낮아지지만 소득이나 소비에 비해 집중도는 현저하게 높은 것으로 분석됐다.

1993년 종합토지세 대상 토지를 공시지가로 평가할 경우 총 974조원에 달하며 이는 같은 해 GDP 277조원의 3.5배에 달해 만약 공시지가가 평균적으로 시가의 80% 수준에 있다고 가정하면 토지의 시가총액은 GDP의 4.4배에 이르는 규모이다.

보고서는 "토지소유 집중이 부동산가격이 상승할 때 소득분배에 중대한 영향을 미친다"며 "이를테면 토지의 실질가격이 10% 상승하면 총 자본이득은 GDP의 44%에 달하고 그중 절반 이상이 상위 10%의 가구에 분배 된다"고 지적했다.

특히 "종전 정부의 투기억제 정책은 금리 등 거시정책을 사용하지 못했다"며 "최근 서울 강남의 부동산가격 급등을 양도소득세와 세무조사 중심으로 대처하는 것은 지가상승이 가져올 자본이득과 세부담을 비교할 때 토지규제 효과를 거두기 어렵다"고 비판했다.

보고서는 "따라서 양도 세제를 정상과세로 전환하고 부동산정책에서 조세보다 거시경제정책이 더 많은 기능을 수행해야 한다"며 "취득세와 등록세 등 이전과세 부담을 낮추는 대신 보유과세를 강화하는 방식으로 부동산 관련세제의 전면적 개편이 이뤄져야 한다"고 강조했다.

부동산세제의 개편 방향으로 ▲시장가격에 기초한 세제 도입 ▲시장가격에 기초한 세율체계 확립 ▲1가구1주택 양도세 비과세 폐지 ▲이전과세에서 보유과세로 전환 ▲보유과세의 통합 등을 제시했다.

단순한 세제 정책이 아니라, 위에서 여러 차례 거론한 희년 방식의 분배 정책이 필요한데, 이러한 전향적 정책이 마련되고 있지 못하다.

제3장

21. 땅 투기로 망한 이스라엘과 대한민국의 미래

이사야서 5장에서 하나님께서는 이스라엘을 향해 경고하신다. 이스라엘의 부자와 권력자들이 땅 투기에 나섰고, 술에 취했다. 지금의 대한민국의 부자와 권력자들의 모습과 흡사하다.

이스라엘은 이사야의 경고를 무시했고, 결국 앗수르에 멸망하고 만다. 유다도 예레미야의 경고를 무시하고 결국 바벨론에 망하고 만다.

세례 요한과 예수님의 경고에도 불구하고 이스라엘의 부자와 권력자들은 회개하지 않았고 결국 이스라엘은 로마에 망하고 2천 년간 나라 없는 민족이 된다.

대한민국의 부자와 권력자들도 회개하지 않는다면 시드기야의 재앙을 당할 것이다.

8 가옥에 가옥을 이으며 전토에 전토를 더하여 빈틈이 없도록 하고 이 땅 가운데에서 홀로 거주하려 하는 자들은 화 있을진저

9 만군의 여호와께서 내 귀에 말씀하시되 정녕히 허다한 가옥이 황폐하리니 크고 아름다울지라도 거주할 자가 없을 것이며

10 열흘 갈이 포도원에 겨우 포도주 한 바트가 나겠고 한 호멜의 종자를 뿌려도 간신히 한 에바가 나리라 하시도다
11 아침에 일찍이 일어나 독주를 마시며 밤이 깊도록 포도주에 취하는 자들은 화 있을진저
12 그들이 연회에는 수금과 비파와 소고와 피리와 포도주를 갖추었어도 여호와께서 행하시는 일에 관심을 두지 아니하며 그의 손으로 하신 일을 보지 아니하는도다
13 그러므로 내 백성이 무지함으로 말미암아 사로잡힐 것이요 그들의 귀한 자는 굶주릴 것이요 무리는 목마를 것이라
14 그러므로 스올이 욕심을 크게 내어 한량 없이 그 입을 벌린즉 그들의 호화로움과 그들의 많은 무리와 그들의 떠드는 것과 그 중에서 즐거워하는 자가 거기에 빠질 것이라
15 여느 사람은 구푸리고 존귀한 자는 낮아지고 오만한 자의 눈도 낮아질 것이로되
16 오직 만군의 여호와는 정의로우시므로 높임을 받으시며 거룩하신 하나님은 공의로우시므로 거룩하다 일컬음을 받으시리니
17 그 때에는 어린 양들이 자기 초장에 있는 것 같이 풀을 먹을 것이요 유리하는 자들이 부자의 버려진 밭에서 먹으리라
18 거짓으로 끈을 삼아 죄악을 끌며 수레 줄로 함 같이 죄악을 끄는 자는 화 있을진저
19 그들이 이르기를 그는 자기의 일을 속속히 이루어 우리에게 보게 할 것이며 이스라엘의 거룩한 이는 자기의 계획을 속히 이루어 우리가 알게 할 것이라 하는도다
20 악을 선하다 하며 선을 악하다 하며 흑암으로 광명을 삼으며 광명으로 흑암을 삼으며 쓴 것으로 단 것을 삼으며 단 것으로 쓴 것을 삼

는 자들은 화 있을진저 (저자 주: 시장 만능주의자, 사회주의자들이 이러하다)
21 스스로 지혜롭다 하며 스스로 명철하다 하는 자들은 화 있을진저
22 포도주를 마시기에 용감하며 독주를 잘 빚는 자들은 화 있을진저
23 그들은 뇌물로 말미암아 악인을 의롭다 하고 의인에게서 그 공의를 빼앗는도다
24 이로 말미암아 불꽃이 그루터기를 삼킴 같이, 마른 풀이 불 속에 떨어짐 같이 그들의 뿌리가 썩겠고 꽃이 티끌처럼 날리리니 그들이 만군의 여호와의 율법을 버리며 이스라엘의 거룩하신 이의 말씀을 멸시하였음이라
25 그러므로 여호와께서 자기 백성에게 노를 발하시고 그들 위에 손을 들어 그들을 치신지라 산들은 진동하며 그들의 시체는 거리 가운데에 분토 같이 되었도다 그럴지라도 그의 노가 돌아서지 아니하였고 그의 손이 여전히 펼쳐져 있느니라
26 또 그가 기치를 세우시고 먼 나라들을 불러 땅 끝에서부터 자기에게로 오게 하실 것이라 보라 그들이 빨리 달려올 것이로되
27 그 중에 곤핍하여 넘어지는 자도 없을 것이며 조는 자나 자는 자도 없을 것이며 그들의 허리띠는 풀리지 아니하며 그들의 들메끈은 끊어지지 아니하며
28 그들의 화살은 날카롭고 모든 활은 당겨졌으며 그들의 말굽은 부싯돌 같고 병거 바퀴는 회오리바람 같을 것이며
29 그들의 부르짖음은 암사자 같을 것이요 그들의 소리지름은 어린 사자들과 같을 것이라 그들이 부르짖으며 먹이를 움켜 가져가 버려도 건질 자가 없으리로다
30 그 날에 그들이 바다 물결 소리 같이 백성을 향하여 부르짖으리니 사

람이 그 땅을 바라보면 흑암과 고난이 있고 빛은 구름에 가려서 어두우리라

22. 땅 분배 방법

하나님은 땅의 분배 방법을 알려주신다. 숫자를 따라 분배하며, 제비를 뽑아 분배하라 하신다. 필요에 따라 분배하며, 같은 것이라면 분쟁의 소지를 없애면서 분배하라고 하신 것이다.

대한민국의 형편에 맞는, 실상에 맞는 토지 분배 안을 찾아내서 영구 평화를 이루는 것이 우리가 이 땅에서 하나님의 나라와 의를 구하는 일이다. 우리도 정치를 하면서 또 작은 생활 가운데 이렇게 필요에 따라, 또 같은 것이라면 분쟁의 소지를 없애면서 나눌 줄 알아야 한다.

23. 내가 그들과 그들의 조상들에게 준 땅에서 멸절하기까지 이르게 하리라

하나님의 말씀을 지키지 아니하며, 동족과 외국인들을 착취하며 자기 홀로 부유하고 자기 홀로 온갖 권력을 누리며, 우상 숭배를 일삼던 자들이, 이제 그 일에 대하여 여러 차례 경고하시다가 결국엔 하나님이 이미 모세를 통해 말씀하셨던 징계를 내리시자 이들은 이 징계마저도 달게 받지 아니하고 또다시 이집트를 의뢰하여 이 위기를 피하고자 했습니다.

신명기 28장에 보면 만약 이스라엘이 악을 행하여 하나님을 잊으면 하나님은 이스라엘이 하는 모든 일에 저주와 공구와 견책을 내리 사 망하며 속히 파멸케 하실 것이며(20절) 또 이스라엘이 세울 임금을 그들이 알지 못하던 나라로 끌어가시리니 거기서 목석으로 만든 다른 신들을 섬길 것이며 하나님께서 그들을 끌어가시는 모든 민족 중에서 그들이 놀램과 속담과 비방 거리가 될 것이라고 말씀하셨습니다.(36-37절)

얼마 전에 읽었던 오강남이란 사람이 쓴 책에서 그가 보인 이스라엘에 대한 하나님의 편애에 관한 이해와 전혀 다른 말씀을 하나님이 하고 계심을 알 수 있습니다.

가나안 땅에서 온갖 악행을 저질렀던 가나안 7부족의 일을 이스라엘이 본받으면 그들도 마찬가지로 이런 일을 당하게 해주시겠다고 하셨던 바를 그대로 이스라엘 역사 가운데서 실천하셨습니다. 우리도 이스라엘이 실제 어떤 일을 당했는지 잘 알고 있습니다.

24. 여호와께서 이르시되 내가 땅 위에서 모든 것을 진멸하리라

하나님께서 더 이상 참으시지 않으시고 땅 위에서 모든 것을 진멸하시는 때가 오게 됩니다.

노아의 때에 홍수로 지면을 쓸어버리셨던 것보다도, 소돔과 고모라에 심판을 내리셨던 것보다도 더 혹독하게 심판하시는 날이 오게 됩니다.

이때는 사람과 짐승을 진멸하고 공중의 새와 바다의 고기와 거치게 하는 것과 악인들을 아울러 진멸할 것이며 사람을 땅 위에서 멸절하리라고 말씀하십니다.

하나님이 왜 이렇게 하실 수밖에 없으실까요?

참고 참으셨지만, 그리고 회개를 촉구하셨지만 전혀 개의치 않고 자기 길로 가는 사람들 때문에 이런 일들이 벌어집니다. 이들을 그냥 놓아두면 이 세계는 그야말로 최악의 현장이 되기 때문에 하나님은 차라리 모든 것을 진멸하시는 쪽을 택하십니다.

이 땅에 존재하는 악한 사람들 때문에 자연도 더불어 저주를 받습니다. 그 악한 사람들이 의지할 것이 없게 만드시려고 하나님은 자연계에도 저주를 내리십니다.

이 때가 지나고 결국 우리에겐 새 하늘과 새 땅이 열리게 됩니다.

우리는 소망을 가지고 하나님 편에 서서 최선을 다해 살아야 합니다. 우리 당은 이런 사람들의 모임이고 싶습니다.

이스라엘은 지속적으로 하나님을 배반하고 가난한 사람들을 힘들게 했습니다. 북이스라엘은 앗수르에 망하고, 남유다는 바벨론에 멸망합니다. 이 멸망 전에 예레미야 선지자를 통해 다음과 같이 경고 받는데 그들은 회개하지 않습니다.

지금의 대한민국의 부자와 권력자들의 모습은 패망 직전의 이스라엘의 부자와 권력자들과 같습니다. 이 모습은 예수님 당시의 이스라엘의 모습과도 흡사합니다.

예레미야서 24장의 다음 말씀은 이스라엘에 그대로 이루어졌습니다. 이스라엘도 치신 하나님께서 어떤 나라인들 불의한 나라를 그만 놓아두시겠습니까?

8 여호와께서 이와 같이 말씀하시니라 내가 유다의 왕 시드기야와 그 고관들과 예루살렘의 남은 자로서 이 땅에 남아 있는 자와 애굽 땅에 사는 자들을 나빠서 먹을 수 없는 이 나쁜 무화과 같이 버리되

9 세상 모든 나라 가운데 흩어서 그들에게 환난을 당하게 할 것이며 또 그들에게 내가 쫓아 보낼 모든 곳에서 부끄러움을 당하게 하며 말거리가 되게 하며 조롱과 저주를 받게 할 것이며

10 내가 칼과 기근과 전염병을 그들 가운데 보내 그들이 내가 그들과 그들의 조상들에게 준 땅에서 멸절하기까지 이르게 하리라 하시니라

25. 이 땅에서 많은 것을 누리려는 사람들

"인생은 그 날이 풀과 같으며 그 영화가 들의 꽃과 같도다
그것은 바람이 지나면 없어지나니 그곳이 다시 알지 못하거니와
여호와를 경외하는 자에게 그 인자하심은 영원부터 영원까지 이르며 그의 의는 자손에게 미치리니 곧 그 언약을 지키고 법도를 기억하여 행하는 자에게로다" (시편 103편 15-18)

지금 우리가 목도하고 있는 많은 갈등들과 문제들은 이 땅에서 너무 많은 것들을 누리려는 사람들에 의해서 생겨나고 있다.

자신이 그것을 누릴 때, 어떤 사람들은 생존에 필요한 최소한의 것, 하나님이 주신 천부적 권리마저도 누리지 못한다는 사실에 대해 이들은 눈과 귀를 감아버린다.

지금의 부동산 폭등 문제도 그렇다. 이 땅에 주택이 없는 사람

이 거의 반 정도 되는데 몇 채씩 가지고, 그리고 또 아주 고가의 주택을 가지고도 이들은 여전히 더 많은 땅들을 차지하려 한다.

이들은 조만간 자신 앞에 어떤 일이 닥칠지 전혀 알지 못하고 있다. 우리는 결국 모두 다 이 땅을 떠나가게 되어 있다. 이 땅에서 너무 많은 것들을 누리려다 보면 우리는 하나님의 나라를 이 땅 가운데 이루는 일에 소홀할 수밖에 없다.

권력을 얻든, 돈을 벌든, 공부를 하든, 말씀을 전하든 무엇이든지 주님을 위해서 하고, 또 그 권리를 박탈당한 사람들을 위해서 해간다면 이 사람들의 삶은 영원으로 이어진다.

아리랑당의 정치 활동이 다른 당과 다른 근본 이유다.

지금 이 세계는 시장을 중심으로 돌아가고 있다. 정치를 중심으로 돌아가지 않는다. 시장의 중심엔 자본가들이 있다.

부동산 시장.

오마이뉴스에 실린 어떤 분의 글을 보니, 어떤 자들이 '시장'의 '시'자도 모르고서 부동산 문제를 시장에 맡겨야 한다고 말하고 있다고 비판했다.

이 분은 부동산 문제는 보유세 강화를 통해 해결될 수 있다고 말한다. 고전파 경제학자들의 이야기를 원용해 이들이 토지 문제에 있어서 얼마나 반시장주의자들이었는가를 이야기한다.

그러면 오늘날의 시장주의자들, 신자유주의자들은 왜 그들의 조상을 배반하고 있는가? 바로 이 점을 이해하지 못하고 있기 때문에 이 분은 이런 논리를 전개했다.

고전파 경제학자들이 토지를 시장에서 배제해야 한다고 이야기했을 때와 지금은 사정이 다르다. 이들이 지금 살아 있어도 여전히 이렇게 말할까?

당시는 자본가들, 기업가들이 토지를 장악하지 못했다. 그러나 그들의 이론에 큰 힘을 입은 자본가들은, 토지 보유세가 강화되지 않은 어떤 악조건도 뚫어내고 토지까지 장악했다.

오늘날 대한민국에서, 이 세계에서 누가 가장 많은 토지를 장악했는지 살펴보면 잘 알 수 있는 문제다. 시장을 옹호하기 위해 토지 공개념을 말하는 것은 어불성설이다.

시장은 하나님의 나라와 하나님의 의 앞에서 심판받게 되어 있다.

시장의 구조 조정과 하나님의 구조 조정은 전혀 다르다. 하나님은 오후에 온 사람에게도 일을 시키시고 똑같은 임금을 지불하실 분이시다.

우리에겐 시장도, 노동자도, 자본가도, 토지도 모두 하나님 앞에서 살펴볼 뿐이다. 그 어떤 것도 하나님보다 앞설 수 없고 하나님의 의보다 우선될 수 없다.

이것이 아리랑당의 출발점이고 귀착점이다. 이렇게 될 때 이 세상의 문제는 근본적으로 해결되기 시작한다.

그 인생이 풀과 같은 자들이 주도하고 있는 시장, 정치 현장, 노동계는 모두 여호와를 경외하는 사람들에 의해 주도되어야 한다. 이렇게 되지 않고선 죄와 전쟁은 끝이 없다.

돈을 벌기 위해 어떤 짓이라도 감행하는 자들이 주도하는 세상에서 잔챙이 투기꾼들이 토지 시장에서라도 한 몫 챙기려고 뛰어드는 것은 너무도 당연한 일이다. 이 가치를 뒤집는 말씀과 정치가 실현되지 않고서는, 공의 정치 하나님 경외 정치가 실현되지 않고서는 문제는 풀릴 수 없다.

군대내 폭력, 학교 문제 이 모든 것들도 다 돈을 사랑하는 자들이 만들어낸 결과다. 돈을 사랑함이 일만 악의 근본이라 하셨다. 토지를 통한 불로 소득만이 이 땅의 문제를 유발하는 것이 아니라 돈을 사랑하는 모든 것이 이 땅의 문제를 유발하고 있다.

자본주의의 첨병인 군대 문화를 바꾸는 일은 자본주의부터 개혁하지 않고서는 불가능하다. 일제가 자본주의의 앞잡이가 되어서 벌인 조선 군대 개편의 결과가 오늘날 한국 군대의 현주소다.

김일병의 문제는 여기에 맞닿아 있다. 그가 게임 때문에 그렇게 되었다고 말한다 할지라도 그 게임도 자본주의가 개발한 것들이다. 자본주의가 문제의 근원이 아니고 돈을 사랑함이 문제의 근원이다.

보암직도 하고 먹음직도 하고, 지혜롭게 할 만큼 탐스럽기도 한 그 어떤 것들을 얻기에 돈은 아주 유용하다. 돈을 사랑함의 근원에 탐심, 하나님을 경외하지 않는 탐심이 자리 잡고 있다.

여기에서 토지 불로소득도 생겨났고, 자본주의도 생겨났고, 노동계의 타락도 벌어졌다. 기독인들은 문제를 근본적인 것에서부터 풀어가야 한다.

그러나 그 처방은 언제나 현실에 기반을 두어야 한다. 몸이 군어 있는 사람에게 갑자기 무용수의 스트레칭을 요구하면 그 사람에겐 큰 문제가 일어난다. 목표치와 과정이 상세히 제시되면서 전진해야 한다.

아리랑당은 이렇게 할 수 있어야 한다. 아리랑당이 제시한 국가 영구 소유 임대아파트 천만 호 건은 현 상황의 토지 문제를 해결할 방도다.

그러나 이것은 모두 공의 정치, 하나님 경외 정치의 일환일 뿐이다. 우리는 토지를 옹호하기 위해 시장의 노예가 되는 자들이 아니다.

모든 것을 하나님 앞에서 따져보고 영원으로 이어지는 가치 앞에서 판단하는 지혜가 우리에게 필요하다. 우리는 바울파도, 바나바파도, 막시스트도, 조지스트도, 시장주의자도 아니다.

오직 우리는 예수 그리스도의 길을 좇아가는 사람들이 되고자 한다.

26. 거주 이방인에게 땅을 나눠주라

그런즉 너희가 이스라엘 모든 지파대로 이 땅을 나누어 차지하라

너희는 이 땅을 나누되 제비 뽑아 너희와 너희 가운데 우거하는 외인 곧 너희 가운데서 자녀를 낳은 자의 기업이 되게 할지니 너희는 그 외인을 본토에서 난 이스라엘 족속같이 여기고 그들로 이스라엘 지파 중에서 너희와 함께 기업을 얻게 하되

외인이 우거하는 그 지파에서 그 기업을 줄지니라. 나 주 여호와의 말이니라(에스겔 47:21-23)

위에서 보듯이 하나님께서는 이스라엘의 회복을 말씀하시면서 그들이 다시 땅을 차지할 때 그들 가운데 거하는 외국인들에게도 기업을 나누어주라 말씀하신다.

왜 이렇게 하셨을까? 외인이 우거하는 그 지파에서 그 기업을 준다면 그 지파의 몫은 줄어들게 된다. 땅을 팔지 말라 하셨는데 외인들에게 나누어준다면, 또 이렇게 들어와 사는 사람들이 많게 된다면 어떻게 되는 것인가?

하나님이 이스라엘 중심의 국수주의자가 아니시다. 하나님은 모든 사람을 선하심 가운데 사랑하신다. 오늘날 이 말씀을 어떻게 적용할 수 있을까? 우리는 처음으로 돌아갈 필요가 있다.

그 외인도 결국 아담의 후손이다. 같은 조상에게서 태어난 친족이다. 지금 지구상에 거하는 모든 사람들이 우리의 친족이다. 그리고 하나님의 피조물이다.

이스라엘의 존립 목적은 온 인류의 구원에 있다. 그러므로 그들 가운데 거주하는 외인들을 돌보는 것이 당연하다. 기독교인의 존재 목적도 온 인류의 구원에 있다. 사유 재산이 이 구원의 사역보다 앞서지 못한다. 아리랑당 창추위의 정책의 근간에 이런 믿음이 있어야 한다.

트럼프의 반이민 정책은 그래서 문제가 있었다.

27. 소중한 이 땅

지금 이 땅의 것들이 얼마나 소중한 것들인지, 그리고 얼마나 잘 관리해야 하는 것인지 누가복음 24장을 보면 잘 알 수 있습니다.
예수님께서는 부활하셔서, 그가 혹시 유령이 아닌가 의심하는 형제들에게 생선 한 토막을 달라 하시고 그것을 잡수시면서 새 몸으로 부활하셨음을 알려주십니다.
여기서 우리가 주목할 것 중 하나가 주님이 부활하신 상태에서 이 땅의 음식을 드셨다는 것입니다. 그 생선이 만약 여러 오염물질로 문제가 있다면 어떻게 될까요?
우리가 이 땅을 소중히 관리해야 하는 이유가 여기에 있습니다. 모든 죄가 몸 밖에 있지만, 간음의 죄는 몸 안에 있으니 몸을 거룩하게 지키라고 사도 바울이 말씀하셨습니다. 우리의 몸은 다시 부활하게 됩니다. 우리의 몸, 우리의 땅, 우리의 물, 이 땅의 모든 생물들을 잘 관리해야 할 의무가 여전히 우리에게 있습니다. 아담처럼
그래서 토지의 정의로운 분배는 경제정책의 근본입니다.

28. 하늘 왕, 땅 왕 ;
느부갓네살의 정치 신학 그리고 로마

예수님이 유대인의 왕이라 하셨습니다. 이와 관련하여 많은 신

학적 논쟁이 있고, 이는 정치 영역에 대단한 영향을 끼치고 있습니다.

그런데 느부갓네살이 가진 정치 신학을 보면 그가 오늘 우리 시대보다 훨씬 더 탁월한 정치 신학을 가지게 되었음을 알 수 있습니다. 그의 정치 신학을 통해 우리는 마태복음과 요한복음 등에서 나타나는 유대인의 왕 예수님의 말씀, 내 나라는 이 땅에 속하지 아니하였다고 말씀하시는 것에 관해서도 크게 배울 수 있습니다.

느부갓네살은 처음부터 이런 신학을 가지지는 않았습니다. 그는 땅의 왕으로서 극히 교만해졌습니다. 이런 그에게 하나님께서는 이상을 보여주셨고, 다니엘은 이를 해석하셨습니다.

그럼에도 불구하고 느부갓네살은 여전히 어리석게도 또다시 죄를 저지릅니다. 신상을 만들고 거기에 절하게 하는데 이 때 다니엘의 세 친구는 이를 거부하고 불 속에 뛰어듭니다.

이 때 다시 느부갓네살은 하나님을 찬양하게 됩니다. 그러나 그는 또다시 교만해지고 꿈을 꾸게 되며, 하나님의 징계를 받게 됩니다. 그리고서 그는 이제야 온전한 정치 신학을 알게 됩니다. 그리고 이를 선포합니다.

다니엘서 4장 37절에서 느부갓네살은 '하늘의 왕'이신 하나님을 찬양한다고 표명하고 있습니다. 바로 이 '하늘의 왕'의 권세는 영원한 권세이며, 그 나라는 대대에 이르리로다고 이야기하고 있습니다.(단 4:34) 즉 그는 하나님의 나라가 영원한데, 자신의 나라(단:4:36)에서 그를 다시 세우시는 분이 하나님이심을 선포하고 있습니다.

예수님께서 말씀하신 내 나라가 여기에 속하지 아니한다고 하실 때 이 나라는 바로 느부갓네살이 말한 '그 나라'임을 알 수 있습니다. 이 '그 나라'는 바로 하나님의 나라이며, 영원한 나라이며, 예수님이 말씀하신 나라이십니다. 세상 나라가 하나님의 나라에 속한 것, 즉 그 관할 하에 있습니다.

로마는 느부갓네살의 나라와 같은 수준일 뿐입니다. 오늘날의 세계도 마찬가지입니다. 대한민국은 느부갓네살의 나라의 수준이며, 이를 세우기도 하시고 망하게도 하시는 권세는 오직 '그 나라' 즉 '하나님의 나라'에서 주관하십니다. 하나님만이 만왕의 왕이신 이유가 여기에 있습니다. 로마 시대는 독특한 시대가 아닙니다.

그런데 예수님이 몸을 입고 그 시대에 오셨기 때문에 또 독특하기도 합니다. 하지만, 이는 예수님께서 다윗의 후손이신데, 다윗이 예수님을 주라고 부르신 이 난제의 또 다른 모습이기도 합니다.

irparty는 바로 이런 느부갓네살의 정치 신학을 토대로 하고 있습니다. 느부갓네살은 이 고백 속에서 왕 노릇하게 됩니다. 아리랑당도 이런 고백 속에서 이 세상 나라에서 왕 노릇하게 될 것입니다. 유대인들은 메시야께서 이 땅에 오셔서 칼로 일어나리라고 착각하고 있습니다. 그래서 그들은 예수님을 십자가로 내몰았습니다.

하나님의 나라는, 느부갓네살 이전에도, 느부갓네살 시대에도, 로마 시대에도, 지금도 동일하십니다. 오직 하나님의 나라를 인

정하는 나라만이, 인정하는 왕만이 그 자리를 유지할 수 있다는 원칙은 계속되고 있습니다. 이 느부갓네살의 고백 위에 서 있는 나라와 권력만이 지속될 수 있습니다.

이제 지상의 나라들이 하나 둘씩 모두 이런 나라들로 바뀌어가고 있습니다. 그러나 이것이 하나님의 나라와 동일한 것은 아닙니다. 하나님의 나라를 선포하는 지상 나라들일 뿐입니다.

아리랑당은 바로 이런 지상 나라, 즉 '하나님의 나라'의 주권을 인정하는 '지상 나라'를 만들어가고자 하는 것입니다.

이 나라는 공의를 행함으로 죄를 속하고 가난한 자를 긍휼히 여김으로 죄악을 속하여 혹시 장구할 수 있는 나라입니다.(단 4:27)

벨사살 왕의 망하는 길로 가는 많은 권력과 왕들이 있었고, 지금도 있습니다.

"이 열왕의 때에 하늘의 하나님이 한 나라를 세우시리니 이것은 영원히 망하지도 아니할 것이요 그 국권이 다른 백성에게로 돌아가지도 아니할 것이요 도리어 이 모든 나라를 쳐서 멸하고 영원히 설 것이라"(단2:44)

예수님은 이 땅에 오셔서 그 나라를 세우셨습니다. 느부갓네살 왕이 말한 '그 나라'가 이 땅에도 임하신 것입니다. 그리고 확장되어가고 있습니다. 아리랑당 창추위는 바로 '그의 나라'를 구하는 이 땅의 나라를 만들어가고자 합니다.

아래 다니엘서 4장 중 일부를 우리는 깊이 묵상해야 합니다.

19벨드사살이라 이름한 다니엘이 한동안 놀라며 마음으로 번민하는

지라 왕이 그에게 말하여 이르기를 벨드사살아 너는 이 꿈과 그 해석으로 말미암아 번민할 것이 아니니라 벨드사살이 대답하여 이르되 내 주여 그 꿈은 왕을 미워하는 자에게 응하며 그 해석은 왕의 대적에게 응하기를 원하나이다

20왕께서 보신 그 나무가 자라서 견고하여지고 그 높이는 하늘에 닿았으니 땅 끝에서도 보이겠고

21그 잎사귀는 아름답고 그 열매는 많아서 만민의 먹을 것이 될 만하고 들짐승은 그 아래에 살며 공중에 나는 새는 그 가지에 깃들었나이다

22왕이여 이 나무는 곧 왕이시라 이는 왕이 자라서 견고하여지고 창대하사 하늘에 닿으시며 권세는 땅 끝까지 미치심이니이다

23왕이 보신즉 한 순찰자, 한 거룩한 자가 하늘에서 내려와서 이르기를 그 나무를 베어 없애라 그러나 그 뿌리의 그루터기는 땅에 남겨 두고 쇠와 놋줄로 동이고 그것을 들 풀 가운데에 두라 그것이 하늘 이슬에 젖고 또 들짐승들과 더불어 제 몫을 얻으며 일곱 때를 지내리라 하였나이다

24왕이여 그 해석은 이러하니이다 곧 지극히 높으신 이가 명령하신 것이 내 주 왕에게 미칠 것이라

25왕이 사람에게서 쫓겨나서 들짐승과 함께 살며 소처럼 풀을 먹으며 하늘 이슬에 젖을 것이요 이와 같이 일곱 때를 지낼 것이라 그 때에 지극히 높으신 이가 사람의 나라를 다스리시며 자기의 뜻대로 그것을 누구에게든지 주시는 줄을 아시리이다

26또 그들이 그 나무뿌리의 그루터기를 남겨 두라 하였은즉 하나님이 다스리시는 줄을 왕이 깨달은 후에야 왕의 나라가 견고하리이다

27그런즉 왕이여 내가 아뢰는 것을 받으시고 공의를 행함으로 죄를

사하고 가난한 자를 긍휼히 여김으로 죄악을 사하소서 그리하시면 왕의 평안함이 혹시 장구하리이다 하니라
28이 모든 일이 다 나 느부갓네살왕에게 임하였느니라

29. 땅 안 사신 느헤미야, 땅 산 권력자와 부자들

주여! 대한민국에 지도자의 복을 주시옵소서. 이 땅에 느헤미야와 같은 지도자들을 주시옵소서. 예수님처럼 참 목자를 주시옵소서. 거짓 목자들, 거짓 지도자들을 다 죽이시옵소서. 우리를 구원하신 예수님 이름으로 기도드립니다. 아멘.

느헤미야는 이스라엘의 권력자들과 부자들의 악행 앞에서, 자신이 총독이 되어 어떻게 행했는가를 자세하게 이야기해주시면서 그들을 꾸짖습니다. 여기에 보면 자신은 하나님을 경외하므로 성 재건 역사에 힘을 다하고 땅을 사지 않았다고 말씀하십니다.

성이 무너졌을 때는 땅 값도 떨어졌을 것입니다. 그런데 성을 재건하니 다시 땅 값도 올랐을 것입니다. 느헤미야는 이 성 재건을 주도한 사람이니 땅 값이 이렇게 오를 줄 알았습니다. 그러나 그는 하나님을 경외하는 사람이었으므로 그 땅들을 사들이지 않았던 것입니다. 개발 이익을 전혀 챙기지 않았습니다. 오히려 그는 가난한 사람들에게 이자도 받지 않고 빌려주었고, 총독의 월급도 십 이년 동안 받지 않았고 백성에게서 어떤 양식과 포도주 또는 세금도 취하지 않았습니다.(느5:14-19)

그러나 이 땅의 권력자와 부자들은 이 나라의 개발 시기를 이용하여 강남 등지에 땅을 사들였습니다. 어찌 이런 사람이 하나님을 경외하는 사람이라 하겠습니까?

결코 정치를 해선 안 될 사람들이었습니다. 대통령들이 되어선 안 될 사람이었습니다. 스스로 그 길을 포기하고 자신의 것을 다 내어놓아 가난한 사람들을 돕는 일만 했어야 합니다. 그런데도 그 재산을 다 가지고 선거에 출마하여 대통령들이 되었습니다. 악한 자들이 그에게 표를 주었습니다. 그들이 정말 선거에 나오고자 했다면, 그 죄를 회개하고 출마하기 전에 이런 재산을 다 팔아 가난한 사람들에게 나눠줬어야 합니다.

어떤 분은 서울 시장 시절 서울을 하나님께 바치겠다고 얘기했는데, 서울을 바칠 것이 아니라, 자신의 재산을 가난한 사람들에게 나눠줬어야 합니다. 그랬다면 하나님의 영광을 가리지 않았을 것입니다. 자신으로 인해 얼마나 많이 하나님께서 욕먹으시는지 그들은 잘 알아야 합니다.

주님 죄송합니다. 우리로 인하여 당신의 영광이 얼마나 훼손되고 있는지요! 우리를 제물로라도 쓰셔서 당신의 영광을 드러내시옵소서.

지금 정부에 몸담고 있는 고위 공직자들 중에 상당수가 땅을 산 사람들입니다. 최근 쌀 직불금 사태에서도 잘 보입니다.

예수님을 잡아 죽인 자들이 대제사장, 총독이었습니다. 이들은 권력을 쥔 자들이었습니다. 우리는 그래서 착각하면 안 됩니다.

권력이 하나님께로부터 왔다는 것과 그 자들이 불의한 자들임에 도 그 권력을 얻을 수 있다는 것. 결국 이 자들은 큰 심판을 받게 되고, 씻을 수 없는 더러운 이름을 세세에 지고 있습니다. 안나스, 가야바, 빌라도, 헤롯. 이 땅의 부자와 권력자들도 이런 사람 중에 하나일 수 있습니다.

하나님 아버지! 이런 불의한 자들을 치소서. 이 땅에서 도말하시고 그들의 자손들이 빌어먹게 하소서. 우리를 위해 십자가에서 돌아가시고 사흘 만에 부활하신 예수 그리스도 이름으로 기도드립니다. 아멘

30. 보이는 땅을 내가 너와 네 자손에게 주리니

롯이 아브람을 떠난 후에 여호와께서 아브람에게 이르시되 너는 눈을 들어 너 있는 곳에서 동서남북을 바라보라

보이는 땅을 내가 너와 네 자손에게 주리니 영원히 이르리라

내가 네 자손으로 땅의 티끌 같게 하리니 사람이 땅의 티끌을 능히 셀 수 있을진대 네 자손도 세리라

너는 일어나 그 땅을 종과 횡으로 행하여 보라 내가 그것을 네게 주리라

이에 아브람이 장막을 옮겨 헤브론에 있는 마므레 상수리 수풀에 이르러 거하며 거기서 여호와를 위하여 단을 쌓았더라. (창13:14-18)

우리는 아브라함의 후손입니다. 믿음의 후손입니다. 우리가 예수님의 이름으로 구하는 것을 다 주신다 하셨으니 우리도 하나

님의 나라와 하나님의 의를 구하면서, 우리의 동서남북을 바라봅시다. 그리고 주님께 기도드립니다. 이 모든 곳을 주시고, 우리의 자손을 땅의 티끌같이 많게 해주시라고요.

이는 다름 아닌 아리랑당의 집권이며, 우리가 제자들을 양성하고 양성하여 온 세계 만민이 하나님을 섬기고 경외하며 서로 사랑하는 세상을 만드는 일입니다. 하나님 아버지 이 일을 이루어주시옵소서.

오직 당신만 영광 받으시고 우리를 써주시옵소서. 우리의 영과 혼과 육을 모두 써 주셔서 이 일을 이루어주시옵소서. 예수 그리스도 이름으로 기도드립니다. 아멘

제 4 장

31. 땅과 거기 충만한 것과 세계와 그중에 거하는 자가 다 여호와의 것이로다

고린도전서 10장 26절에 다음과 같이 쓰여 있다.

이는 땅과 거기 충만한 것이 주의 것임이라

시편 24편은 다음과 같이 하나님의 땅에 대한 소유권을 말씀하신다.

제 24 편

다윗의 시

1 땅과 거기에 충만한 것과 세계와 그 가운데에 사는 자들은 다 여호와의 것이로다

2 여호와께서 그 터를 바다 위에 세우심이여 강들 위에 건설하셨도다

3 여호와의 산에 오를 자가 누구며 그의 거룩한 곳에 설 자가 누구인가

4 곧 손이 깨끗하며 마음이 청결하며 뜻을 허탄한 데에 두지 아니하며 거짓 맹세하지 아니하는 자로다

5 그는 여호와께 복을 받고 구원의 하나님께 의를 얻으리니

6 이는 여호와를 찾는 족속이요 야곱의 하나님의 얼굴을 구하는 자로다 (셀라)
7 문들아 너희 머리를 들지어다 영원한 문들아 들릴지어다 영광의 왕이 들어가시리로다
8 영광의 왕이 누구시냐 강하고 능한 여호와시요 전쟁에 능한 여호와시로다
9 문들아 너희 머리를 들지어다 영원한 문들아 들릴지어다 영광의 왕이 들어가시리로다
10 영광의 왕이 누구시냐 만군의 여호와께서 곧 영광의 왕이시로다 (셀라)

주님께서 원하시는 모든 일이 이 땅에서 이루어지길 기도드립니다. 주님은 전능하신 분이시어서 그렇게 하실 것입니다. 우리도 주님의 군사 되어 정의의 전쟁에 능하신 여호와 하나님을 따라 이 전쟁에서 승리하길 소원합니다.

32. 죄인들을 땅에서 소멸하시며 악인들을 다시 있지 못하게 하시리로다.

시편 104편에서 35절에서 다음과 같이 노래하고 있습니다
35 죄인들을 땅에서 소멸하시며 악인들을 다시 있지 못하게 하시 리로다 내 영혼아 여호와를 송축하라 할렐루야

서민들의 돈을 갈취하는 자들이 많습니다. 땅 투기에서도, 저축은행 비리에서도 잘 드러나고, 또 조폭 등도 그렇습니다. 온

나라에 수많은 이런 악한 자들이 있어서 사람들을 힘들게 하고 있습니다. 하지만 하나님께서는 이들을 다 보고 계시며 결국 이들을 제거하십니다. 하나님께서 계시지 않는다면 우리는 얼마나 불안할까요?

그러나 하나님께서 이들을 제거하심으로 우리는 눈을 씻고 보아도 이들을 찾을 수 없습니다.

히틀러가 악했지만, 그는 이제 눈을 씻고 찾아보아도 이 땅에 없습니다. 이렇게 사라집니다. 하나님께서 없애셨습니다. 왕 앞에서 악한 자를 제거하라 하셨습니다.

33. 땅에는 언제든지 가난한 자가 그치지 아니하겠으므로

신명기15장 중에 다음과 같은 말씀이 있습니다.

11. 땅에는 언제든지 가난한 자가 그치지 아니하겠으므로 내가 네게 명령하여 이르노니 너는 반드시 네 땅 안에 네 형제 중 곤란한 자와 궁핍한 자에게 네 손을 펼지니라

이 세계가 끝나는 날까지 이 땅에는 가난으로 인해 고통 받는 사람들이 계속 생겨납니다. 이유가 무엇일까요? 하나님께서 허락하셨기 때문이며, 또 우리의 악함 때문이며, 우리를 시험하시기 위함입니다. 그래서 그들을 돌보는 일이 중요하며 이 일은 주님을 섬기는 일입니다. 주님의 명령이기 때문입니다.

34. 주께서 땅 위에서 그 말씀을 이루고 속히 시행하시리라

로마서 9장(27-29)

27 또 이사야가 이스라엘에 관하여 외치되 이스라엘 자손들의 수가 비록 바다의 모래 같을지라도 남은 자만 구원을 받으리니 (이사야 10장 22절 이하)

28 주께서 땅 위에서 그 말씀을 이루고 속히 시행하시리라 하셨느니라

29 또한 이사야가 미리 말한 바 만일 만군의 주께서 우리에게 씨를 남겨 두지 아니하셨더라면 우리가 소돔과 같이 되고 고모라와 같았으리로다 함과 같으니라 (이사야 1:9)

하나님의 나라가 속히 임하시길 간절히 구합니다. 이 땅에서 고난 받는 분들, 이 땅에서 고통 받는 분들을 위해서 주님께서 속히 오시길 기도드립니다. 우리의 삶이 힘들고 팍팍하므로 주님께서 속히 오셔서 이 모든 문제를 해결해주시길 기도드립니다. 그리고 우리 스스로 먼저 깨달은 사람이 이것을 해내야 합니다.

35. 자기 땅에 오매 자기 백성이 영접치 아니하였으나

하나님이신 예수님이 이 땅에 오셨는데, 자기가 창조하신 땅에 오셨는데 사람들은 예수님을 영접하지 않고 오히려 십자가에 못

박아 버렸습니다. 하나님도 이런 대접을 받으시는데, 하물며 하나님 뜻대로 사는 사람들은 어떻겠습니까!

땅 주인이신 하나님이신 예수 그리스도조차 이런 대접을 받는 세상이라면 이 땅에서 정의를 외치는 일은 결코 만만치 않을 것입니다.

36. 그 땅에서 힘든 사람이 많아지면 그 땅은 존재의미가 사라져

이것은 역사의 원칙입니다. 지금 1%만 행복하다면 그리고 나머지가 그들로 인해 불행하다면 그 땅은 존재 의미가 없어진 것이고 그래서 패망하게 됩니다. 수많은 나라의 역사입니다.

아모스서8장도 이를 잘 설명해주고 있습니다.

1 주 여호와께서 내게 이와 같이 보이셨느니라 보라 여름 과일 한 광주리이니라 히, 여름 과일이란 말과 끝이란 말의 음이 같음

2 그가 말씀하시되 아모스야 네가 무엇을 보느냐 내가 이르되 여름 과일 한 광주리니이다 하매 여호와께서 내게 이르시되 내 백성 이스라엘의 끝이 이르렀은즉 내가 다시는 그를 용서하지 아니하리니

3 그 날에 궁전의 노래가 애곡으로 변할 것이며 곳곳에 시체가 많아서 사람이 잠잠히 그 시체들을 내어버리리라 주 여호와의 말씀이니라

4 가난한 자를 삼키며 땅의 힘없는 자를 망하게 하려는 자들아 이 말을 들으라

5 너희가 이르기를 월삭이 언제 지나서 우리가 곡식을 팔며 안식일이 언제 지나서 우리가 밀을 내게 할꼬 에바를 작게 하고 세겔을 크게

하여 거짓 저울로 속이며
6 은으로 힘없는 자를 사며 신 한 켤레로 가난한 자를 사며 찌꺼기 밀을 팔자 하는도다
7 여호와께서 야곱의 영광을 두고 맹세하시되 내가 그들의 모든 행위를 절대로 잊지 아니하리라 하셨나니
8 이로 말미암아 땅이 떨지 않겠으며 그 가운데 모든 주민이 애통하지 않겠느냐 온 땅이 강의 넘침 같이 솟아오르며 애굽 강 같이 뛰놀다가 낮아지리라
9 주 여호와의 말씀이니라 그 날에 내가 해를 대낮에 지게 하여 백주에 땅을 캄캄하게 하며
10 너희 절기를 애통으로, 너희 모든 노래를 애곡으로 변하게 하며 모든 사람에게 굵은 베로 허리를 동이게 하며 모든 머리를 대머리가 되게 하며 독자의 죽음으로 말미암아 애통하듯 하게 하며 결국은 곤고한 날과 같게 하리라
11 주 여호와의 말씀이니라 보라 날이 이를지라 내가 기근을 땅에 보내리니 양식이 없어 주림이 아니며 물이 없어 갈함이 아니요 여호와의 말씀을 듣지 못한 기갈이라
12 사람이 이 바다에서 저 바다까지, 북쪽에서 동쪽까지 비틀거리며 여호와의 말씀을 구하려고 돌아다녀도 얻지 못하리니
13 그 날에 아름다운 처녀와 젊은 남자가 다 갈하여 쓰러지리라
14 사마리아의 죄된 우상을 두고 맹세하여 이르기를 단아 네 신들이 살아 있음을 두고 맹세하노라 하거나 브엘세바가 위하는 것이 살아 있음을 두고 맹세하노라 하는 사람은 엎드러지고 다시 일어나지 못하리

37. 산헤립과 이 땅의 권력자들

'너희는 유다의 왕 히스기야에게 이같이 말하여 이르기를 네가 믿는 네 하나님이 예루살렘을 앗수르 왕의 손에 넘기지 아니하겠다 하는 말에 속지 말라

앗수르의 여러 왕이 여러 나라에 행한 바 진멸한 일을 네가 들었나니 네가 어찌 구원을 얻겠느냐'(열왕기하 19:10-11)

유다로 쳐들어온 앗수르 왕 산헤립이 히스기야를 위협하고 있었습니다. 그러나

이 밤에 여호와의 사자가 나와서 앗수르 진영에서 군사 십팔만 오천 명을 친지라 아침에 일찍이 일어나 보니 다 송장이 되었더라

앗수르 왕 산헤립이 떠나 돌아가서 니느웨에 거주하더니

그가 그의 신 니스록의 신전에서 경배할 때에 아드람멜렉과 사레셀이 그를 칼로 쳐죽이고 아라랏 땅으로 그들이 도망하매 그 아들 에살핫돈이 대신하여 왕이 되니라'(열왕기하19장 35-37)

이 땅의 권력자들은 어떤 정체성을 지니고 있을까 고민하게 됩니다. 이들이 왜 기독교를 탄압하고 선교 활동을 금하고 있을까요?

기독교가 예수님 이후로 행한 많은 잘못이 있습니다. 이는 예수님을 잡아 죽인 이들이 스스로 하나님을 믿는다고 착각하고 많은 악행을 저지르고 많은 선지자들을 죽인 것과 유사합니다.

지금 기독교가 진정 하나님을 믿는 종교인지 아니면 이스라엘이 받았던 평처럼 실은 사탄의 회인지도 평가받아야 합니다. 이스라엘은 하나님을 대적하다가 이천 여년을 민족적으로 벌을 받

다가 최근에야 국가를 다시 형성했습니다. 그리고 아직도 정의를 행하는 나라로서는 의문점이 많습니다.

이런 점에서 볼 때 기독교계도 이스라엘의 전철을 밟을 가능성이 높습니다. 수많은 이단들은 더 말할 필요도 없습니다.

그러나 이들 문제와 별개로 하나님을 대적하는 왕들의 말로는 앗수르의 산헤립과 같은 일이었습니다. 바벨론의 왕 느부갓네살의 아들 벨사살도 그랬습니다. 기독교 탄압 권력은 기독교계가 곧 하나님이 아니며 서양 기독교의 잘못이 곧 하나님의 잘못이 아님을 알고 하나님을 대적하는 일이 필멸의 길임을 잘 알아야 합니다.

하나님은 하나님의 나라와 하나님의 정의를 이루기 위해 오늘도 인류 역사를 운행하고 계시며 스스로 그 일을 이루신다고 하셨습니다. 이 일을 방해하는 어떤 악한 국가도 어떤 악한 권력자도 하나님을 대적하고 살아남을 수 없습니다. (한국 카톨릭과 개신교는 속히 하나님과 관련한 용어를 정리해야 합니다.)

38. 가나안 땅의 주인은

하나님께서 가나안 땅을 너와 네 자손에게 주리라 하신 그 아브라함과 그 자손이 누구인가의 문제에서 사도 바울께서는 이 자손이라는 단어가 단수로 쓰였고, 이는 그리스도를 가리킨다고 해석하셨습니다. 그러면 우리는 그리스도의 후손이므로 당연히 아브라함의 후손이며, 가나안 땅의 주인이 될 수 있습니다.

돌들로라도 만들 수 있는 아브라함의 후손이 아니라 믿음과 행함에서 아브라함의 피를 그리스도를 통해 이어받은 사람들이 진정 그 땅의 주인입니다.

동서남북으로 바라보신 아브라함의 시선에 닿은 곳들도, 그리고 그 끝까지, 땅 끝까지 그리스도의 피로 거듭난 사람들의 땅입니다.

그래서 우리는 세상의 모든 땅과 권력과 부도 다 하나님께 바쳐드려야 하고, 하나님을 경외하는 가난한 이들을 살리는 데 써야 합니다.

39. 왜 주님은 나를 우리를 이 땅에 태어나게 하셨을까

왜 주님은 나를 우리를 이 땅에 태어나게 하셨을까

위 물음에서 시작해서 부동산 문제에 대한 답을 찾아보는 것이 지혜로운 삶이라 하겠다. 땅을 더 많이 확보해서 대한민국 땅에서 홀로 평화를 누리라는 사명을 받고 태어난 것인가?

부동산을 둘러싼 대한민국 내의 오천 만에 의한 오천만의 투쟁은 어떤 사상적 철학적 신학적 배경을 가진 것인가?

무엇을 먹을까 마실까 입을까 먼저 염려하지 말라 하시면서 이는 이방인들이 구하는 것이라 하셨다. 그 안에 하나님이 계시지 않은 사람들, 그저 육일뿐인 사람들이 구하는 것이라 하셨다.

오직 하나님의 사람들은 먼저 하나님의 나라와 하나님의 의를 구하라 하셨다. 왜일까? 하나님은 주권자이시고, 창조주이시고 이 세상 모든 것의 주인이시기 때문이다.

여기에서부터 출발하지 않는다면 사실상 답을 찾기 곤란하다. 우리에게 대한민국에서 태어나게 하신 이유는 남과 북이 대치하는 상황 속에서 무엇이 정의인지를 깨닫고 그것을 구하고 실천하는 삶을 살게 하고자 하심이다.

중국적 방식도 아니고, 일본적 방식도 아니고, 북한 방식도 아닌 가장 정의로운 방식, 하나님께서 기뻐하시는 방식을 찾아내서 행하는 믿음을 위해 우리는 아브라함처럼 이 땅에 보냄을 받았다고 보아야 한다.

40. 이제 내가 이 모든 땅을 내 종 바벨론의 왕 느부갓네살의 손에 주고

하나님을 이스라엘만을 위한 민족 신이라고 폄하하는 사람들이 있습니다. 그러나 만약 그런 신이셨다면 어떻게 오늘 본문처럼 이스라엘에게 바벨론의 종이 되라고 선지자 예레미야를 통해 말씀하셨겠습니까?

하나님에게는 어떤 한 민족이 더 중요한 것이 아니라, 세계 모든 민족이 하나님께로 돌아오는 것이 더욱 중요합니다. 그런 관점에서 이스라엘을 택하셔서 만민을 하나님께로 돌아오게 하시려는 계획을 세우셨고 움직이셨습니다.

하나님께는 만민의 선해짐이 더욱더 중요하지, 어떤 한 민족의 이기적 민족주의를 채우시기 위해 민족이 자의적으로 만드신 신이 아니심을 알 수 있습니다.

만약 그런 신이셨다면, 즉 민족의 인위적 조작 신이셨다면 오늘 본문은 우리에게 전해질 수 없었습니다.

우리 당도 우리 당을 위하여, 또는 우리 민족만을 위하여 하나님을 섬길 수 없습니다.

하나님을 위하여 하나님을 섬길 뿐입니다. 그리고 그렇게 하는 길만이 세계 만민에게 유익한 길이며, 그 길이 다시 한민족과 우리 자신, 그리고 나에게도 최선의 길입니다.

제5장

41. 독도는 우리 땅이 아니다

울릉군 독도가 우리 땅인가? 그러면 강남구 압구정동이 우리 땅인가? 대치동이 우리 땅인가? 도곡동이 우리 땅인가?
여기에서 '우리'는 누구인가?

'우리'는 공동 운명체이고, 동고동락하는 관계에 있는 사람들을 의미한다. 그 중 누군가가 기본적 권리를 박탈당한다면 나머지 사람들이 함께 그 문제를 풀어주려는 사람들일 때 '우리'라는 말을 쓸 수 있다.

'우리 집', '우리 가족' '우리나라'...

이 땅의 서민들은 끊임없이 속아왔다. '우리'라는 미명 아래 희생의 축은 이들이 담당하고 그 대가는 일부가 독점해왔다.

마치 포주들이 몸을 파는 아가씨들을 이용하는 것과 마찬가지 행태다. 몇 대 몇으로 화대를 나눔으로써 인센티브를 제공해 몸을 팔게 하고, 거기에 걸려들어 몸을 파는 것은 아가씨들인데, 부를 축적하는 것은 포주다. 세월이 갈수록 아가씨들 대부분은 몸은 병들고, 돈은 모으지 못하고 비참해져 가고 빚만 늘어 간다.

여러 번 중절을 하게 되고 임신불가한 몸이 된다. 출산율 저하의 비밀이 여기에 있다. 그러나 세월이 갈수록 포주들은 모든 것들을 누려간다. 하지만 윤락 세계 전체는 더욱더 번창한다. 자본주의의 발달도 마찬가지다. 지금 대한민국의 발전은 최고조에 달해 있다. 하지만 이 땅의 서민들이 겪는 괴리감도 상대적으로 가장 커져 있다. 아가씨들은 화려한 옷을 입었고, 화장을 했고, 먹고 잘 수 있었다. 먹고 살 데도 없는 아가씨들에게 그래도 몇 년간 이런 기회를 제공했으니 무슨 말이냐고 포주들은 말한다.

잘 곳도 없는 애들을 데려다가 살게 해줬으면 되었지, 웬 불만이 많으냐고 말한다.

보릿고개를 넘어가게 해줬으면 되었지, 세탁기도 돌리고, TV도 보게 해줬으면 되었지 웬 신세타령이냐고 이들은 말한다. 집도 옛날에 초가집에서 이젠 그래도 벽돌집이라도 살 수 있게 되었는데 무슨 불만이 그렇게도 많으냐고 질타한다.

그런데 포주들은 무엇을 누리고 있는가? 이들은 수입차를 몰고, 고급아파트를 몇 채씩 가지고, 그 금쪽같은 자녀들을 해외에 유학 보내고 수십억의 돈을 모았다.

최고급 미녀를 눈요기 삼아 CF를 장악한 머리 좋은 포주들은 '우리'가 일해주고, '우리'가 구매해준 상품을 통해 수천억이 넘는 돈을 모았다. 대한민국 국민들 모두가 '독도는 우리 땅'이라고 외칠 수 있는 나라를 만들어야 한다.

강남 압구정동, 대치동, 도곡동이 '우리' 땅이 아니다. 거기에는 '내' 땅을 주장하는 자들만 있다.

그 지역은 국부를 동원해 개발되었다. 그런데 몇 십 년이 지난 뒤 이 지역에 서민들을 위한 임대아파트를 짓는 것에 이들이 어떤 반발을 하고 있는가?

사유재산 운운하면서 가난한 서민들의 탄식은 외면하고 있다. 그런데 이 땅들이 서민들의 땅이라고 말할 수 있는가? 그렇지 못하면 '우리' 땅이 아니다. 그러므로 당연히 독도도 우리 땅이 될 수 없다. 독도 주변 해역에서 아무리 많은 수자원이 개발된다 할지라도 그것을 독점하는 것은 또 불의한 자들이다.

독도가 우리 땅이라고 실컷 외쳐서 이 땅을 차지하면 또다시 그곳을 '내'땅으로 만들어버리는 자들이 이 땅의 주요 권력과 부를 장악하고 있다. 이런 나라는 필연적으로 망하게 되어 있다. 조선은 '우리'나라가 아니었다. 그것은 '양반'의 나라였다. 그렇기 때문에 간악한 일제에 망했다.

이제 더 이상 우리는 속아선 안 된다.

모든 토지는 하나님의 것이다. 하나님은 의로운 '우리'에게 이 토지를 허락하신다. 이들이 더 이상 의로운 '우리'가 되지 못하면 다른 '우리'에게 이것을 넘기신다.

이스라엘의 역사가 그랬고, 이 땅의 수많은 역사가 그랬다. 독도가 악한 일본의 것도 아니고, 진정 '우리' 것이 되기 위해선 우리가 해야 할 일은 너무도 많다.

일본에게 '우리'는 그들 자신만을 의미한다. 그들에게 주변 민족은 결코 '우리'가 될 수 없다. 이것이 바로 제국주의다. 주변 민족을 착취하고 노예화하는 것이 바로 제국주의다.

그러기에 제국주의에 대항해야 한다. 여기에서 지면 엄청난 차별에 시달리는 불행이 기다리고 있기 때문이다. 주변 민족을 흡수해서 그 민족이 자신들과 동일한 권리를 누리게 한다면 그것은 제국주의가 아니다.

우리는 간악한 일본 제국주의와 싸워야 하고, 이 땅의 불의한 권력자들, 악랄한 부자들과 싸워 승리해야 한다. 그럴 때 독도는 진정 '우리' 땅이 된다. 그 날을 위해 아리랑당 창추위는 전진한다.

강남구 압구정동도 우리 땅, 대치동도 우리 땅, 도곡동도 우리 땅, 울릉군 독도도 우리 땅, 일본 열도도 우리 땅인 그 날을 위해.

42. 다윗의 분배율

사무엘상 30장에 보면 전장에서 얻은 전리품의 분배율에 관한 말씀이 나온다. 이를 오늘날의 여러 경제 분배와 관련하여 적용해볼 수 있다.

국민이 공동 운명체라 했을 때, 그 부가 집중되는 토지나 주택 등의 영역에서 이를 적용하는 것이 바람직하다. 단순히 전리품을 얻는 것만이 아니라 이를 분배하는 일의 비율에서 정의가 확보되지 못하면 국가적으로 큰 문제가 일어난다.

대한민국 부동산 영구 평화도 이런 원칙에 의해 평화안이 마련되어야 한다. 헨리 조지의 진보와 빈곤은 전리품에 대해서 이야기하지만 그 분배에 대해선 정확히 이야기하지 못하고 있다.

다음은 그와 관련한 사무엘상 20장 말씀이다.

20 다윗이 또 양 떼와 소 떼를 다 되찾았더니 무리가 그 가축들을 앞에 몰고 가며 이르되 이는 다윗의 전리품이라 하였더라.

21 다윗이 전에 피곤하여 능히 자기를 따르지 못하므로 부솔 시내에 머물게 한 이백 명에게 오매 그들이 다윗과 그와 함께 한 백성을 영접하러 나오는지라 다윗이 그 백성에게 이르러 문안하매

22 다윗과 함께 갔던 자들 가운데 악한 자와 불량배들이 다 이르되 그들이 우리와 함께 가지 아니하였은즉 우리가 도로 찾은 물건은 무엇이든지 그들에게 주지 말고 각자의 처자만 데리고 떠나가게 하라 하는지라

23 다윗이 이르되 나의 형제들아 여호와께서 우리를 보호하시고 우리를 치러 온 그 군대를 우리 손에 넘기셨은즉 그가 우리에게 주신 것을 너희가 이같이 못하리라

24 이 일에 누가 너희에게 듣겠느냐 전장에 내려갔던 자의 분깃이나 소유물 곁에 머물렀던 자의 분깃이 동일할지니 같이 분배할 것이니라 하고

25 그 날부터 다윗이 이것으로 이스라엘의 율례와 규례를 삼았더니 오늘까지 이르니라

43. 나의 주택 체험기(30세 이후-)

1991년 서울대 외교학과에 편입한 서른 살이 되어서, 결혼했는데, 집을 마련할 수가 없었다. 신림동 네거리 옥탑에 있는 방

에서 신혼 생활을 시작했다. 주변이 유흥가라 잠을 잘 수가 없었다.

학교를 휴학하고 아내의 직장 근처인 논산으로 내려가서 셋방을 얻어 살다가 주변에 기도원이 있어서 거기서 신혼 생활을 이어 갔다. 아침저녁으로 차량 봉사도 하면서 생활하였다.

1992년 서울로 다시 와서 낙성대 근처, 교회 옆의 반지하방으로 갔다. 곰팡이가 너무도 많이 피었다. 여름엔 장마 때 하수가 역류해서 화장실로 하수가 솟구쳐 올라왔다.

서초, 강남, 송파 일대의 아이들을 가르치면서 여러 아파트들을 살펴볼 기회가 있었다. 압구정, 잠원, 잠실 등..

1993년 김진홍 목사님이 하시는 두레공동체에 참여하여 난곡 꼭대기에 있는 집으로 들어갔는데, 반지하를 택했다. 위층 집들도 고를 수 있었으나, 김회권 선배가 옥탑방에 사는데 내가 더 좋은 집에 살 수는 없어서 반지하를 택했는데, 또다시 곰팡이에 시달렸다.

결국 그 집에 가다가 밤에 음주운전 뺑소니에 치이고 큰 고통 중에 살다가 가족이 해체되고, 죽음의 문턱에 까지 갔다가 하나님의 은혜로 기사회생해서 96년 국회의원 선거 전주 완산에 출마하고 낙선한 후 나는 서울베다니학교 교장에 취임하면서 양천구 신월동에 가까운, 부천 고강동 빌라로 이사했다. 비행기 소음으로 너무도 시달렸다. 특히 그 옆의 경인고속도로 차량 소음도 이루다 말할 수 없었다.

신월 IC 근처였는데 한국도로공사와 협의하고 주민들 서명을 받아서 도로변 녹화 사업도 해보았다. 매연도 심해서 집을 매일 닦아도 시커먼 먼지가 방바닥에 가득했다.

이후 우석대 기획부처장 일을 위해서 잠시 전주에 내려갔고, 2000년 국회의원 선거 출마 후 다시 서울로 복귀하였다. 강서구와 마포구 일대에서 아리랑당 창추위 사무실을 만들고 생활하였다.

2005년에 큰 아이가 서울로 전학 오게 되면서 강남 대치동 생활이 시작되었다. 대치동 선경 아파트, 도곡동 타워팰리스, 개포주공 등에 거주하였다. 개포주공 1단지가 재건축되기 전에 거주했는데, 이전 연탄보일러로 지어진 구조라 실내에 연탄보일러 시설이 있었고, 후에 가스보일러로 바뀌면서 그 부분만 변경되었다.

내가 살아본 곳은 개포 주공 13평형이었는데 1981년경에 1100만 원 정도에 분양되었다. 재건축 중인데 20억을 넘게 호가한다.

여기에서 부동산을 둘러싼 미묘한 현실들을 체험하게 된다. 어느 중학교에 배정될 수 있느냐에 따라 도로 하나를 사이에 두고도 아파트 가격이 달라지는 곳이 대치동이다.

개포동 구룡 마을에 사는 아이들과 어르신들을 타워팰리스로 초대하여 쉼터로 활용하기도 했다.

성동구와 서대문구 등에서 생활하다가 2011년에 강남구 세곡동 보금자리에 청약저축이 당첨되어 이사하게 되었다. 임대아파트와 분양아파트가 혼재된 단지들이었다.

2012년, 16년, 20년에 강남 을에서 국회의원 선거와 18년에 강남구청장 선거에 출마하였다.

이러한 체험과 성경 묵상과 여러 관련 서적들을 보면서 고민한 것들을 통해, 그리고 전주와 서울 강남 등지에서의 선거 출마 등을 통해서, 지역 주민들의 애로와 실생활 등을 관찰하면서 마련한 대인들, 그리고 고민들을 이 책에서 디양하게 적어기고자 한다.

특히 강남을은 전국에서 임대아파트 비율이 가장 높은 곳이기도 하다. 개포 수서 일원 세곡동으로 이뤄진 지역구인데 이곳에서 정치 활동을 하면서 여러 고민을 하게 되고 대안을 찾았다.

우리 지역구엔 구룡마을도 있다. 구룡 마을에서 바라보면 타워팰리스가 보인다. 이제는 개포주공 1단지, 2단지가 재건축되어서 더욱더 가까운 빈부 대비가 보인다.

방안으로 쥐가 뛰어다니는 구룡마을 입주민과 새로운 고급 브랜드 아파트 입주민이 서로를 바로 바라보면서 생활할 수밖에 없는 주거 배치. 그리고 아직도 끝나지 않은 구룡 마을의 갈등들.

마르크스가 영국 공장 노동자들을 바라보면서 자본론을 써갔다면 김광종은 극심한 주거 빈부 격차 현장에서 살아가면서 이 책을 썼다.

2011년에 청약저축으로 3억 5백만 원 정도에 분양받은 세곡 푸르지오 아파트를 2016년에 7억 1천만 원에 팔았다. 그리고 이 아파트가 2020년 현재 15억 원 정도를 호가하고, 전세가도

7억이 넘는다.

이 아파트를 판 큰 이유는 주변 임대아파트 거주민들의 열악한 상황 때문이었다. 이 분들의 어려움에 동참하고자 이 집을 팔고, 거기서 남은 돈으로 선거도 치르고, 고리대금에 시달리는 사람들에게 무이자로 꿔주었다.

10년 공공임대 입주자들은 입주 후 10년 뒤 감정가로 분양받아야 한다. LH가 그런 계약으로 입주시켰다. 세곡동 등지에 이런 아파트들이 있다. 이 입주자들은 5년 분양 방식이나 분양가 상한제를 요구한다. 그런데 문재인 대통령 당선자가 이에 호응하고 당선되었지만 공약을 어겼다.

그런데 또 다른 주변의 영구 임대 거주자들은 10년 공공임대 입주자들의 요구 사항을 비판한다. 자신들은 아무런 혜택을 받지 못하고 있다고 보는 것이다. 일리가 있다.

주변의 분양 아파트 입주자들은 10년 공임이 싸게 분양될 경우 자신들의 집값이 떨어질까 봐 또 반대를 한다. 장기임대아파트 거주자들은 20년이 되어도 계속 분양 받을 수 없고, 재산이 기준을 넘으면 더 이상 그곳에 살 수 없게 된다. 그러면 그 자녀들은 학교 문제가 심각해진다. 이렇듯 현재의 복잡한 주택 정책은 너무도 많은 문제들을 만들어냈다.

나는 이곳의 정치인으로서 모두를 만족시킬 대안을 고민할 수밖에 없었다.

전현희 전 의원에게도 요구했다. 나처럼 임대 아파트들로 이사와서 동고동락하라고. 그러나 개포동 20억 전세로 이사 갔다.

서초구 분양권을 공직자 재산신고에서 신고하고. 이혜훈 전의원의 26억 전세..동고동락하는 정치인들을 찾아보기 힘들다.

대통령도 양산으로 돌아갈 집을 짓고 있다. 서민들의 주거 안정이 이뤄지지 않은 상황에서 자신의 집짓기에는 열심이다.

나는 이런 다양한 관찰과 선거 출마 과정들을 통해 무엇이 대한민국 부동산의 영구 평화를 가져다 줄 수 있는 방안인지를 오랫동안 고민했고 어렴풋이 그 답을 찾았다. 완벽하진 못해도 앞으로도 더욱더 정제된 책으로 수정해갈 것이고 또 여러 논의들을 함께 고민하고자 한다.

무엇보다 내가 실천하지 않는 것을 남에게 강요하진 않아야 한다고 본다. 내가 내놓은 정책을 내 스스로 실현하지 않으면서 어찌 정치를 할 수 있으랴!

나는 강남에서 4번 선거에 떨어졌다. 이번에 다시 서울 시장에 도전한다. 나의 정책을 내게는 실현했으니 서울 시민과 국민 모두에게 실현하기 위해 나는 계속 전진한다.

자기가 제시하고자 하는 바에 비해 세상이 아무리 졸렬해보일지라도 그럼에도 불구하고 전진할 수 있는 사람이 천직으로서의 정치가이다 는 막스 베버의 직업으로서의 정치의 마지막 구절을 생각하면서.

44. 네 씨로 말미암아 천하 만민이 복을 받으리니

야훼께서는 아브라함에게 이삭을 제물로 바치라 하셨고, 아브라함은 이에 순종했습니다. 그리고 야훼께서는 이렇게 순종한 아브라함에게 큰 복을 주시리라 약속하셨는데 그 중 하나가 천하 만민이 아브라함의 씨로 말미암아 복을 받으리라는 말씀이셨습니다 .(창세기22:18)

사람들은 자신의 자녀를 대단히 사랑합니다. 그래서 많은 재산도 물려줍니다. 타인의 자녀보다 자신의 자녀가 잘 되길 바랍니다. 지금 만인에 대한 만인의 투쟁이 부동산 시장에서, 교육 현장에서 벌어지는 것도 이와 무관치 않습니다.

타인의 자식보다 내 자식이 더 뛰어나길 바라고, 그들을 뛰어넘고 그들을 부릴 수 있길 바랍니다. 내 자식이 그들을 섬기는 사람이 아니라, 남의 자식들이 내 자식을 섬기길 바랍니다. 조선 시대가 그랬고, 이젠 신분 계급이 철폐된 지금 이 천민자본주의 시대도 마찬가지입니다.

그런데 놀랍게 야훼께서는 이삭의 복이 만민의 복이 되게 해주실 것이라고 하셨습니다. 나의 복이, 나의 성공이 타인의 불행이 되는 사회가 헬 조선입니다. 그러나 야훼께서 원하신 사회와 국가는 나의 성공이 타인의 복과 타인의 성공이 되는 사회입니다.

축구에서 어시스트를 하면 좋은 평점을 얻게 됩니다. 골을 넣은 선수만이 아니라 그 골을 어시스트한 선수도 좋은 평점을 얻게 됩니다. 이익공유제를 비판했던 이건희 회장과 달리 성경은 끊임없이 이익 공유, 축복의 공유를 말씀하십니다.

다윗의 시글락 사건, 그리고 예수님께서 누구든지 으뜸이 되고

자 하는 자는 만인의 종이 되어야 하리라는 말씀은 바로 아브라함에게 주신 복과 일치합니다.

예수님은 십자가를 지심으로써 만왕의 왕이 되셨지만, 만인에게 복이 되셨습니다. 이 원칙이 없는 한 이 세계는 지옥입니다. 만인에 대한 만인의 투쟁은 지옥입니다. 만인의 종이 되려는 선한 싸움만이 천국을 만들 수 있습니다.

하늘을 두려워하는 정당은 이를 실현해야 합니다.

공수처를 둘러싼 투쟁, 임금과 자본을 둘러싼 투쟁, 좌우의 투쟁 모두 지옥으로 가는 투쟁입니다. 프롤레타리아 독재가 되었든, 자본가의 독재가 되었든, 부자의 독재가 되었든, 검사의 독재가 되었든, 운동권의 독재가 되었든 모두 지옥으로 가는 길입니다.

국회의원이 되려 하고, 장관이 되려 하고, 시장이 되려 하고, 대통령이 되려 하는 이유가 만인의 종이 되려는 목적이다면 우리는 천국을 만들 수 있습니다. 시진핑의 중국몽이 지옥몽이 될지, 천국몽이 될지는 이미 보입니다.

26억 전세에 사는 사람이 서민들의 주거 문제를 섬길 만인의 종이 될 수 없다는 것을 우리는 너무 잘 압니다. 그런데 이런 사람들이 너무도 많이 입법, 사법, 행정, 그리고 자본의 세계에, 심지어 종교 지도자에 이르기까지 포진하고 있습니다. 이것이 우리의 불행입니다.

북한 지도자는 북한 인민들과 완전히 다른 좋은 곳에서 생활합니다. 예수님은 머리 둘 곳도 없다 하셨습니다. 예수님과 같은 지도자들이 나오지 않는 한, 답이 없습니다. 그래서 예수님은 그들의 말은 듣되 그들의 행함은 본받지 말라 하셨습니다. 예수님은 헤롯과 세례 요한을 비교하십니다. 부드러운 옷 입은 자들은 왕궁에 있다 하셨습니다. 오늘날 이런 자들로 인해 이 세계는 지옥이 되었습니다.
그러나 그런 자들은 반드시 지옥에 떨어질 것입니다. 그리고 이 땅에서 누리지 못한 거지 나사로와 같은 서민들은 아브라함의 품에 안길 것입니다. 야훼는 위대하시고 정의로우십니다.

아브라함이 이삭을 바치시려 한 것처럼, 야훼께서는 자신의 독생자 예수님을 온 인류를 위해 바치셨습니다. 그 심정을 이해해 보라고 아브라함에게도 이런 시험을 하셨습니다. 야훼께서는 온 인류를 위해 자신의 목숨도 내어놓으셨습니다. 그러나 다시 기독 세계는 아브라함의 전통에 선 것이 아니라, 이스라엘의 죄악 가운데로 왔습니다.

천민자본주의를 만들어낸 것이 바로 기독 세계입니다. 이들은 이스라엘의 전통을 따라 돈을 사랑했고 야훼와 이웃을 버렸습니다.
대형교회 앞에 있는 가난한 교회, 작은 교회들과 복을 나누지 않습니다. 그 교회 내에서조차 가난한 교인들과 부자 교인들이 사도행전의 유무상통을 하지 않습니다. 그런데 이들이 어떻게 이 세계의 문제를 풀 수 있겠습니까!

예수님께서 오실 때에는 이 세상에서 믿음을 보실 수 없을 것이라 하셨습니다. 아브라함의 믿음과 순종을 상실한 시대입니다.

만인의 종이 되려는 것인지, 만인의 지배자가 되려는 것인지 그 내면은 오직 야훼께서 아십니다. 그러나 얼마 지나지 않아 그 실상이 드러나고 사람들도 알게 됩니다. 그래서 독재자의 말로는 비참하게 됩니다.

45. 헨리조지 만이 아니라 톨스타인 베블렌 관점에서도 보아야 한다.

주택 관련 투기를 헨리 조지식으로만 보아선 안 되는 이유가 톨스타인 베블렌의 "한가한 무리들"이라는 책을 보면 잘 드러난다.

주택은 주거 공간이면서도 또한 소비재가 된다. 베블렌은 과시적 소비를 이야기한다. 주택을 구매하고 보유하는 데 있어서 바로 이러한 과시적 소비가 큰 몫을 한다는 점을 국가는 잊지 말아야 한다. 여유 계층은 주택 소비를 통해 과시를 하게 되는데, 이것이 타인에게 막대한 피해를 끼치게 된다. 명품 소비가 끼치는 해악과는 비교가 되지 않는 악영향을 미치게 된다.

사치재 명품은 필수품이 아니기 때문에 그 영향이 크긴 하지만 절대적이진 않다. 그러나 주택은 필수품이기 때문에, 그리고 그 고급 주택의 가격이 서민들의 주택에도 상당한 영향을 미치기 때문에 심각한 문제가 된다. 기업 마케팅은 철저히 이런 요소를 악용한다.

46. 민간 투기는 국가 투자로 잡아야 한다.

대한민국과 세계의 공통 문제 중 가장 중요한 문제인 주택 문제에 대한 대안 중 하나로 국유화와 민유화를 들 수 있다.

지금 방식의 약육강식의 주택 시장을, 조세 정책이나 단순 공급 정책을 아무리 써간다고 해도, 결국 민간 부문의 부의 격차는 이 시장에서 국가와 은행과 부자들의 승리로 끝나게 되고 대부분의 서민들은 주택가격과 임대가격 그리고 세금 문제, 대출 문제로 큰 고통을 더욱더 겪을 수밖에 없게 된다.

창세기 47장에 보면 요셉이 이집트의 풍년과 흉년을 이용하여 애굽의 토지법을 세우는 장면이 나온다. 대부분의 민간 소유 토지를 애굽 왕 파라오 소유로 전환한다. 사회주의 방식인가 아니면 국가주의인가? 자본주의 방식인가?

이는 후에 이스라엘이 가나안 땅을 차지한 후의 토지법과는 상당히 다른 방식인데 그러나 그 내면으로 보면 결국은 거의 비슷한 것으로 보인다. 단순한 이야기 같지만, 요셉은 어떻게 이런 방법을 쓰게 되었고, 하나님께서는 어떻게 이런 지혜를 주셨는지 놀랍다.

성경에는 크게 요셉식의 토지법과 모세식의 토지법, 그리고 예수님의 토지법 또는 성령 강림 후 토지법이 있다고 볼 수 있고, 이는 오늘날 토지공개념과도 연결될 수 있는데 주의하지 않으면 안식일 법처럼 되어 안식일에 병자를 고치는 예수님을 비방하는 서기관과 바리새인식의 안목을 가질 수도 있게 된다.

노무현 정부 이후로 헨리조지의 진보와 빈곤이라는 저서에 기반을 둔 지대조세론에 근거하여 대한민국의 일부 기독인들, 성경적 토지 정의를 세우겠다고 하는 사람들의 견해에 근거하여, 지금 여러 세제 정책들이 마련되었고, 주택 토지 정책들이 수행되고 있는데 많은 문제점들을 노출하고 있다.

아무리 세금을 올려도 이는 문제를 해결할 수 없다. 헨리 조지는 진보와 빈곤에서 한 사회가 더욱 발전할수록 그 결과물이 토지에 집중하게 되고 다수는 토지를 소유할 수 없게 되며 이는 극심한 빈부격차로 이어진다고 본다. 이는 올바른 견해라 할 수 있다. 그런데 이 문제를 풀어내는 그의 방법은 일부는 맞고 대체로 틀렸다.

임대 소득에 대해 지대를 국가가 부과함으로써 토지 임대 불로소득을 환수하면 위의 문제가 해결될 수 있다고 단순하게 말한다. 정책에서 단순함은 아주 좋은 것이다.

그러나 조심해야 할 것이 여기에 있다. 자본소득 등에 부과되는 세금 등을 다 없애고 토지 임대 소득에만 세금을 부과하면 된다고 보는 단일세제론자의 대안은 심각한 문제를 야기한다. 즉, 중요한 귀착점, 즉 거두어들인 세금을 어떻게 다시 토지 무소유자들에게 제공할 지에 대한 대안을 주지 못하고 있다. 오늘날 대한민국의 주택 토지 관련법도 마찬가지다.

헨리 조지의 이런 생각은 오류가 있는데 이를 성경적 토지 정의라고 받아들인 기독인들이 있고, 이들은 이를 희년 개념과도 연결시킨 바, 성경도 경제도 잘못 이해하고 있다.

뉴욕 시장 선거에도 출마했던 헨리조지는 미국 주류 사회가 그토록 싫어했던 사회주의도 아니고, 그렇다고 문제 많은 자본주의도 아닌 방식으로 미국 사회의 문제를 풀려했고, 그 대안으로 지대조세제, 단일세제론을 만들어냈다. 그런데 이를 성경적 토지 정의라고 하는데, 몇 가지 점을 살펴보면 결코 그렇지 않음을 알 수 있다.

위에서 보았듯이 요셉의 토지법과 모세의 토지법, 에클레시아의 토지법을 통해 보면 지대조세제는 크게 다른 문제를 가지고 있다.

요셉은 처음엔 곡물을 팔아서 돈을 다 거두어들인다. 강제적인 방식은 전혀 없다. 공산혁명주의자들 방식의 강제 몰수가 아니었고, 시장에서 소비자가 원하는 대로 팔고 거두어들였다. 이미 풍년 흉년이 예언되었는데, 이집트 국민들 대다수는 이를 믿지 않았다. 마치 노아의 홍수 때 사람들처럼.

바로 앞에서 이미 요셉은 그 꿈을 해석해주면서 대안도 제시했다. 그런데 많은 사람들이 이 대안을 자신에게 적용하지 않았고 큰 위기에 전혀 대처할 수 없었다.

요셉은 그러면 왜 시혜적 복지 정책을 통해 무상으로 그 곡물들을 어려움을 겪는 사람들에게 나누어주지 않았을까! 마치 북한이나 아프리카로 곡물을 무상 제공하는 것과 같은 방식을 쓰지 않았다. 잔인하게 보일 정도의 방법을 요셉 총리는 써간다.

처음에 요셉은 곡물을 팔아서 돈을 다 흡수한다. 돈이 다 떨어지자 사람들은 다시 요셉에게 사정을 호소한다. 가축을 사달라고 했다. 그래서 시장 가격으로 요셉은 그 가축들을 다 사들였다. 이제 가축도 다 팔게 되자 사람들은 자신들의 몸과 토지를 사주고 곡물을 달라고 요청한다. 자신들이 곡물이 떨어져 죽게 되었다고 말하는 사람들에게 요셉은 무상으로 곡물을 배포하지 않는다.

그늘의 몸과 토지를 사들였다. 제사장들의 토지 외에는 모두 바로의 토지가 되었다. 그리고 이 토지를 다시 사람들의 노동력에 맞게 임대 분배하여 토지소산의 오분의 일은 바로에게 바치고 오분의 사는 그 임차인이 가지게 하였다. 이것이 요셉이 세운 이집트 토지법이었다고 창세기 47장에 나온다.

13기근이 더욱 심하여 사방에 먹을 것이 없고 애굽땅과 가나안땅이 기근으로 황폐하니

14요셉이 곡식을 팔아 애굽땅과 가나안땅에 있는 돈을 모두 거두어 들이고 그 돈을 바로의 궁으로 가져가니

15애굽땅과 가나안 땅에 돈이 떨어진지라 애굽백성이 다 요셉에게 와서 이르되 돈이 떨어졌사오니 우리에게 먹을 거리를 주소서 어찌 주 앞에서 죽으리이까

16요셉이 이르되 너희의 가축을 내라 돈이 떨어졌은즉 내가 너희의 가축과 바꾸어 주리라

17그들이 그들의 가축을 요셉에게 끌어오는지라 요셉이 그 말과 양 떼와 소 떼와 나귀를 받고 그들에게 먹을 것을 주되 곧 그 모든 가축과 바꾸어서 그 해 동안에 먹을 것을 그들에게 주니라

18그 해가 다 가고 새 해가 되매 무리가 요셉에게 와서 그에게 말하되 우리가 주께 숨기지 아니하나이다 우리의 돈이 다하였고 우리의

가축 떼가 주께로 돌아갔사오니 주께 낼 것이 아무것도 남지 아니하고 우리의 몸과 토지뿐이라
19우리가 어찌 우리의 토지와 함께 주의 목전에 죽으리이까 우리 몸과 우리 토지를 먹을 것을 주고 사소서 우리가 토지와 함께 바로의 종이 되리니 우리에게 종자를 주시면 우리가 살고 죽지 아니하며 토지도 황폐하게 되지 아니하리이다
20그러므로 요셉이 애굽의 모든 토지를 다 사서 바로에게 바치니 애굽의 모든 사람들이 기근에 시달려 각기 토지를 팔았음이라 땅이 바로의 소유가 되니라
21요셉이 애굽땅 이 끝에서 저 끝까지의 백성을 성읍들에 옮겼으나
22제사장들의 토지는 사지 아니하였으니 제사장들은바로에게서 녹을 받음이라 바로가 주는 녹을 먹으므로 그들이 토지를 팔지 않음이었더라
23요셉이 백성에게 이르되 오늘 내가 바로를 위하여 너희 몸과 너희 토지를 샀노라 여기 종자가 있으니 너희는 그 땅에 뿌리라
24추수의 오분의 일을 바로에게 상납하고 오분의 사는 너희가 가져서 토지의 종자로도 삼고 너희의 양식으로도 삼고 너희 가족과 어린아이의 양식으로도 삼으라
25그들이 이르되 주께서 우리를 살리셨사오니 우리가 주께 은혜를 입고 바로의 종이 되겠나이다
26요셉이 애굽토지법을 세우매 그 오분의 일이 바로에게 상납되나 제사장의 토지는바로의 소유가 되지 아니하여 오늘날까지 이르니라
(개역개정)

생활 필수재인 곡물의 시장 가격 변동을 통해 이집트의 토지를

몰수이 거두어들였다. 이 과정에서 하나님은 어떤 생각을 가지셨고, 요셉에게 어떻게 지혜를 주셨고, 이는 향후 세계 각국의 토지 정책에 어떤 시사점을 주는지 여러 단서를 찾아볼 수 있다.

놀라운 것은 시장 가격 변동을 이용해서 요셉 총리는 자본, 노동, 토지를 거두어들였다는 점이다. 자본주의 생산의 3대 요소를 그렇게 거두어들였다. 이는 바로에게 막대한 이익을 가져다 주었다. 부의 중앙 집중화를 이루었다. 또 요셉 입장에서는 자기 민족이 고센 땅에 거할 수 있는 근거, 지원 대책의 정당성을 부여해주었다. 이스라엘은 가축 사육 전문가였다. 거두어들인 가축들이 이스라엘에게 맡기어졌으리라 본다.

하나님께서는 이 7년 풍년, 7년 흉년을 통해 자신이 이끄시는 세계사의 한 기획 점을 만들어내셨다. 이를 통해 인구와 부를 축적한 사람은 바로만이 아니라 이스라엘 민족도 있었다.

이스라엘은 여기서 축적된 인구와 자본을 가지고 가나안 땅, 즉 토지 정복과 회복의 거대한 준비를 4백여 년간 하게 된다. 그리고 출애굽해서, 인구와 자본과 하나님의 법을 가지고 출애굽해서 가나안 토지를 차지하게 된다. 국가의 3대 요소인 국토를 마련하는 작업에 들어가는데 이때는 시장 경제가 아니라 약탈로 차지한다.

전쟁을 통해 그 땅을 차지하고, 상대 민족을 멸절하면서 나간다. 마치 러시아나 중국에서 자본가들을 다 죽이고 토지를 차지하듯이. 그리고 다시 그 토지를 씨족별로 가계별로 분배한다.

그리고 거기에 희년이라는 토지법을 세우도록 야훼의 법이 만들어진다.

이 희년에는 그 토지의 원주인이나 그 후손에게 그 토지가 무상으로 돌려져야 한다. 이미 그 이전의 거래에서 이것이 감안되어 거래되었기 때문이다.

헨리 조지가 말한 세월이 지날수록 생겨나는 빈부 격차를 희년제도로 풀어낸다는 계획이었다. 이에 대해 모세는 세계 각국 중에서 이스라엘보다 더 공의롭고 대단한 국법과 체제를 가진 나라는 없다고 말씀하신다. 신명기나 레위기 등에 나오는 모세의 경제 관련법은 생활 수단 및 생산 수단의 장단주기 복합 분배 방식이었다. 이는 김광종의 저서 "장단주기 분배론"에 자세히 나와 있다.

생활수단은 단기적으로, 자본과 노동은 중기적으로, 토지는 장기적으로 분배를 반복하는 방식이다. 그래서 이자도 없고, 7년이 되면 부채가 자동 탕감되는 법이 세워졌고 희년법도 마련되었다.

하지만 이스라엘은 가나안 땅을 차지한 후 이 법을 지키지 않았다. 여러 선지자를 통해 끊임없이 경고 받았지만, 이스라엘의 부자와 권력자들은 이 법을 지키지 않았고 그 서민들을 어렵게 만들었고, 결국 경고대로 이방 국가들에게 망했다. 그럼 다시 처음 문제의 제기로 돌아가서 오늘날 정의로운 토지법은 어떻게 세울 수 있을까? 그 사회의 특성에 따라 두 가지 혹은 세 가지 방법이 존재할 수 있다고 본다.

1) 완전 기독 사회.

국교가 기독교이든지 하는 사회는 모세법을 적용한 토지법이 유효하다고 본다. 다만 당시에 비해 훨씬 더 도시 집중화된 자본주의 사회에서 이를 그대로 대입하기는 불가능하고 따라서 국가와 국민의 여러 자금과 연금 등을 통해 공유하는 방식이 필요하다.

지금 유럽 사회 등에 적용할 수 있는 방식으로 국가 임대 아파트, 공무원 연금 소유 아파트, 국민연금 소유 아파트 등을 확대하는 방법이 필요하다. 여기에 맞춰, 교회 공동체에서 주택 소유를 늘려나가고 그 공동체의 구성원들이 사도행전 4장 32-37절의 방식을 원용하면 된다. 유럽 사회가 기독교 사회가 되었음에도 불구하고 봉건제, 절대 왕정을 넘어 자본주의 체제로 넘어가면서 이러한 유토피아를 만들어내는 데 실패함으로써 결국 사회주의 및 공산주의라는 과격한 피를 부르는 사생체제가 발생하도록 만들었다.

그 망령이 아직도 중국과 북한에 남아서 큰 고통을 주변 국가들에 끼치고 있다. 남미 등지의 가톨릭 국가들의 부패 사회도 이 방식으로 해결이 가능하다고 본다.

2) 다종교 국가

대한민국과 같은 다 종교 국가들이 이 세계에 많은데 이런 곳들에서는 요셉 방식이 주효하다. 즉 국가나 공적 연금들이 나서서 중심지의 아파트나 주택, 토지들을 대량으로 사들여서 그 형편에 따라 국민들에게 임대료를 받고 주거지를 제공하는 방식이다. 우리나라도 이것을 시행하고 있지만 보다 더 적극적으로 시행해야 한다. 중심지의 토지를 사들이는 것이 중요하고, 임대료는 그 거주자의 소득과 재산에 따라 차등 수령하는 디테일한 정책이 필요하다.

3) 대한민국의 교회 공동체의 노력

교회 건물과 그 주변 주택들을 교회 공동체가 적극적으로 매수하여 그 교인들이 형편에 따라 거주하도록 하는 일에 적극 나서야 한다.

코로나로 인해 대중 집회가 어려워졌는데, 경매 등으로 매물이 나온 것들을 교계에서 적극적으로 사들여서 교회도 현재의 구조와 다르게 아파트와 교회가 공동으로 들어간 住教 복합 건물을 지어나가는 것도 한 방법이다.

4) 끝으로 현재의 대한민국의 주택 토지 관련 세제 정책이나 세계 주요 국가들의 정책이 어떤 귀결을 가질지 간략히 정리해본다.

재산세나 종합부동산세를 올려 주택 문제를 해결하려 하는데, 자본주의가 발전하면 할수록 어떤 임계 폭발 점에 도달하기까지는 계속 그 사회가 부를 축적하게 되고 따라서 중심지의 주택 가격, 대도시의 주택 가격과 임대 가격은 계속 상승할 수밖에 없다.

그런데 각국의 정부들이 재산세를 계속 올리고 대출을 규제하면, 이 재산세와 대출 문제를 감당할 수 있는 현금 부자들은 오히려 고급 주택의 확보를 늘려갈 수 있게 되고, 이를 감당할 수 없는 서민들은 기존 주택마저 팔아야 하는 아이러니한 상황이 벌어진다.

자본주의가 발달할수록 자본의 소수 집중은 강화될 것이고 따라서 이러한 세제 정책은 고급 주택 가격의 폭등을 관리할 수 없게 된다. 그러므로 처음부터 전혀 다른 방식으로 이 문제에 접근하는 것이 이 문제를 간단히 해결하는 것이 된다. 처음에 이야기했던 것과 같이 국가 소유와 공적 연금 소유, 공익 법인이나 사회복지법인의 소유를 늘리는 것, 이것 외에는 대안이 없다.

끝으로 은행 자본이 주택이나 토지 시장과 관련하여 약탈적 대출의 주요 수단을 장악하게 되고, 여기에서 파생된 서민 신용대출도 하나님이 징벌하실 고금리로 유지되고 있다. 주택 문제는 서민들의 생활 자금 이자 문제와도 크게 관련이 있다. 어떻게 우리가 무이자 사회로 갈 수 있을지에 대해서도 깊은 고민이 필요하다. 이도 기독인들의 주요 고민 중의 하나가 되어야 한다.

예수님께서는 영생을 얻기 원하는 부자 청년에게 그 재산을 팔아 가난한 사람들에게 나눠주고 자신을 따르라고 하셨다. 느헤미야는 포로에서 귀환한 이스라엘 부자와 권력자들의 고리 대금에 대해 진노했다. 그런 일들로 인해서 자신들이 하나님의 징계를 받아 나라를 잃고 쫓겨났던 일들을 기억하라고 촉구한다.

하나님께선 세계 모든 나라의 주권자이시다. 하나님께서 원하시는 인류 공동체, 국가 공동체를 만들어내지 못한다면 우리는 언제라도 이곳에서 이스라엘처럼 쫓겨난다.

천국에서는 어떤 방식의 소유가 이뤄지고 있겠는가! 자본주의 방식도 사회주의 방식도 아니고, 사도행전 4장 방식으로 이뤄지고 있다. 우리가 지속적으로 이 방식을 이루는 데 개인적으로나 교회 공동체로나, 국가적으로 도전해야 한다.

기독교인들은 디모데전서에 나오는 것처럼, 자신이 속한 사회의 안녕과 발전을 위해서 노력해야 한다. 이것이 자신들의 신앙생활에도 크게 도움이 되고, 이를 통해 하나님 나라가 확장되어진다.

지금 한국 사회에서 우리가 이런 일을 해낼 수 있다면, 이는 북한과 중국에도 크게 교훈이 될 것이고, 남북 간에도 평화적 통일이 이루어질 것이다. 그러나 만약 남한 사회가 여전히 헬조선 사회로 간다면 북조선에 의한 큰 재앙이 남한 땅에 이루어질 것이다. 마치 이스라엘에 대한 재앙으로 북이스라엘, 남유다가 나뉘고, 서로 싸우다가 후엔, 앗수르와 바벨론에 의해, 그리고 나중엔 로마에 의해 멸망되었듯이, 중국과 일본 등 주변 강대국에 의해 큰 고통을 다시 치르게 될 가능성이 높다.

그러나 만약 우리가 이곳에 공의로운 체제를 이루어낼 수 있다면 역으로 우리는 동아시아와 아시아 그리고 국제적으로 리더십을 갖는 위대한 국가로 발돋움할 수 있다.

국민 연금과 공적 연금, 그리고 국가 자금을 통해 토지와 상장 주식들을 요셉처럼 흡수해가야 한다. 세금으로 국정을 운영하는 것이 아니라, 요셉처럼 임대료로 국정을 운영해갈 수 있어야 한다. 주식 배당금으로 국가 재정을 충당하고 국민들은 열심히 기업을 일구는 방식이 요셉의 방식이다. 잉여 소득이 있는 곳에만 임대료를 받는 방식, 기존의 세제 정책을 완전히 이렇게 바꿔가야 한다.

마지막으로 국민 연금이 어떻게 구체적으로 중심지의 아파트들을 장악해갈 수 있는지 자세히 살펴보도록 하겠다.

국민 연금 내에 새로운 자회사를 만들어도 된다. LH, SH 등과 함께 하는 합작 자회사를 만들어도 된다. 이를 통해 전국 200여만 가구를 재건축하고 일반 임대, 국민 임대를 섞어서 누구도 누가 임대 아파트에 얼마에 살고 있는지 모르게 만들어야 한다. 오직 그 자회사와 개별 가구만이 알 수 있다. 예를 들면 강남 수서동의 lh 아파트 5000 여 가구가 가구당 10여 평 대의 작은 평수 임대 아파트로 이미 지어진지 40여년이 되어간다.

15층 아파트이다. 그런데 이 아파트를 50층으로 재건축해서 1만가구로 확대한다. 기존 입주민들은 입주 시기에 따라 차등하여 토지임대부로 건축물에 대한 소유권을 넘겨준다. 그리고 나머지 5천 가구 신규 재개발분은 국민연금 소유로 일반인들에게 25평에서 33평 수준의 아파트를 전세나 월세로 시세대로 공급하는 방식을 취하면 된다. 기존 주민들에게도 20평에서 25평을 제공하면 된다.

이런 식으로 수서동 일원동, 세곡동 등지에서도 3만 가구 정도가 신규로 국민 연금 소유로 지어질 수 있다. 그리고 여기에서 회수된 임대료로 서울 등 대도시의 중심지 아파트들을 사 들여 가면 된다. 이렇게 하면 국민 연금 고갈 문제도 해결된다. 국민 연금으로 넘기지 않고도 국가 소유 아파트로 이렇게 해가도 된다. 거기서 나온 자금으로 아파트 보유 물량을 계속 늘려 가면 된다.

세금을 올려서 주택 문제를 해결하는 방식이 아니라, 국가 소유, 공적 연금 소유 아파트를 늘려서 주택 가격 문제를 시장 원리에 따라 해결하는 요셉식 방법이다.

국민연금 고갈 문제도 해결된다. 국가 재정 문제도 해결된다. 국가가 발전하면 할수록 그리고 우리 기업들의 수출이 늘어나고 이익이 늘수록 그 혜택이 국가와 국민 모두에게 골고루 돌아간다. 헨리조지가 고민했던 그 문제는 지대조세제가 아니라 요셉 방식의 임대료와 배당금으로 해결될 수 있다.

군인연금, 공무원 연금 등도 이렇게 하면 된다. 그런데 최근에 개포동에 있던 공무원 아파트를 헐값에 팔아버렸다. 이런 일이 다시 일어나면 안 된다. 공익적 사회복지법인들이 적극적으로 주택 시장에 참여하도록 도우면 된다.

미혼모나 장애인들, 한 부모 가정, 생계 곤란 가장을 위한 사회복지법인의 주택 시장 참여를 유도해야 한다. 일반 주택 임대 사업자 혜택은 모두 폐지하고, 오히려 불이익을 주고, 국가와 공적 연금, 그리고 사회복지법인들의 임대 사업에 다양한 혜택을 줌으로써 우리 사회의 주택 문제의 심각성을 영구적으로 해소할 수 있다.

정책은 속으로 아주 정밀하고 복잡해야 한다. 그러나 외면적으로 단순해야 한다. 도스 시절을 넘어서 윈도우로 오면서 그 내면은 더욱 복잡해졌지만, 스마트폰으로 넘어오면서 더욱 그렇게 되었지만, 소비자 입장에서는 인터페이스가 보다 편리하고 간단하게 되었다.

국가의 세제 정책이나 주택 정책, 기업 정책 등도 이렇게 풀어가야 한다. 그런데 지금 반대로 가고 있다. 그러니 국민도 힘들고 국가는 그 정책으로 인해 국민의 신뢰를 잃고 있다.

이제 다시 간단하게 그리고 치밀하게 돌아가야 한다. 국가와 공적 연금 등이 소유하고, 민간은 임차하고 생산하고 임대료를 내는 방식. 세금으로 운영되는 나라가 아니라 임대료와 배당금으로 운영되는 나라를 만들면 된다.

기업들도 적극적으로 사원용 아파트들을 사들여야 한다. 일반 임대가 아니라, 사원용 아파트들을 사들이고 사원 복지에 사용하면 된다. 직주 근접형 근로 조건이 만들어질 수 있다. 그리고 이 기업들은 대부분 국가나 공적 연금이 대주주가 될 것이다. 기업인들은 열심히 일하고 경영하고 국민들은 그 혜택을 골고루 누리는, 시장 친화적인 국가이다. 사회주의도 천민자본주의도 아니고 요셉식 국가이다.

국민들은 자기 능력을 최대한 계발하고 기업과 국가 행정에서 기여하고 국부는 증대될 것이다. 고금리로 시달리는 서민들도 없게 될 것이고, 배당 소득의 증가로 국부는 지속적으로 증대될 것이다. 은행들도 국가와 공적 연금 소유이므로 더 이상 예대마진을 통해 약탈적 대출로 서민들의 등골을 휘게 하지 않을 것이며, 좋은 기업들에 투자하고 배당금을 받는 형태로 가게 될 것이다.

대출이 거의 무이자로 이뤄지면서 사회적 생산성은 더욱더 증대될 것이다. 그렇다고 대출이 회수되지 않는 도덕적 해이가 유발되는 일도 늘어나지 않을 것이다. 이미 스위스 중앙은행의 기준금리가 - 0.75%이다. 일본중앙은행도 -0.1%다. 미국도 제로금리에 가깝다.

이제 선진국으로 들어선 대한민국이 24% 최고금리에 서민들을 노출시키는 것은 불행한 일이다. 이는 헬 조선의 근간이 된다. 한국은행 기준금리가 0.5% 인데 서민 카드론 금리가 24%에 육박하게 해선 안 된다.

왜 이스라엘에게 동족 간에는 무이자로 대출해주라고 하셨을까?

예수님은 꾸고자 하는 자에게 꾸어주라고 하셨다. 당연히 무이자로.

신명기 15장에서, 너희가 만일 이와 같이 하면 너희 중에 가난한 사람이 없을 것이고, 국부는 증대되어 이웃 국가들에 꾸어주는 나라가 될 것이며, 꾸지 않는 나라가 될 것이라고 하셨다. 하나님께서 직접 복을 주시는 것도 더욱더 늘어날 것이다.

그러나 이를 지키지 않으면 하늘을 놋으로 만들어버리실 것이라고 경고하셨다.

우리는 대한민국을 이 세계에서 가장 정의롭고 공의롭고 살기 좋은 곳으로 만들어가야 한다. 이것이 하나님의 나라가 이 땅에 이루어지게 해드리는 것이다.

이렇게 되면 북한은 저절로 우리와의 통일을 원하게 될 것이다. 그러나 만약 지금 상태에서 통일된다면 북한도 우리처럼 겉으로는 번지르르하지만, 내면으로는 헬 조선인 나라가 되고, 자살률 세계 1위 국가에 포섭될 것이다.

신으로부터 받은 천부적 권리에 대해 주장함으로써, 왕권신수설에 기초한 절대 왕정을 깨고 시민 통치, 민주 사회의 기초, 자본주의의 기초를 놓은 존 로크의 civil government는 이제 다시 하나님으로부터 부여받은 서민들의 절대적 권리인 안정적 주거권과 불량한 고금리로부터 탈출할 수 있는 무이자 대출 권리가 성경으로부터 도출되어야 한다.

만왕의 왕이신 예수님은 온 인류의 죄와 빚으로부터 인류를 구해내시기 위해 십자가를 지셨다. 그런데 예수 그리스도를 믿는다고 하는 사람들조차 자신들의 공동체에 속한 교인들이 빚으로 고통당하고 있는데 고금리와 부동산 투기로 배를 불리고 있다. 포로에서 귀환한 느헤미야의 경고를 들어야 한다.

결국 이스라엘은 포로에서 귀환했지만, 세례요한과 예수님의 경고를 받아들이지 않고 로마에 의해 완전히 멸망되어 2천 년간 나라 없는 민족으로 떠돌았다.

이는 대한민국의 기독교인들이 엄중하게 받아들여야 할 교훈이다. 이스라엘조차도 이렇게 역사적으로 여러 차례 가차 없이 징계하신 하나님이신데, 대한민국은 더욱 어찌 하실 것인지는 분명하다.

교회가 이 시대의 구원의 방주가 되어야 한다. 단지 천국 방주만이 아니라 공동체 내에서부터 빚 고통에 시달리는 교인들과 부동산 투기의 희생양이 되어 주거 고통을 받고 있는 교인들에게 힘이 되어주어야 한다.

에스더처럼, 민족이 고통받고 있는데, 자신 홀로 왕궁에서 살아남으리라고 생각하면 착각이다. 하나님께서는 다른 방법으로 구해주실 것이고, 에스더와 그의 집은 망하리라고 모르드개가 경고하셨다.

천국 문 앞에서 주님께서 모르신다고 평가받고 쫓겨나기 전에 신속히 교회가 일어나야 한다. 예수님이 배고팠을 때 아무 것도 주지 않은 사람들은 결국 예수님을 모르고, 예수님도 그를 모르시는 바이다.

47. 헨리 조지의 진보와 빈곤의 장단점

진보와 빈곤(헨리조지, 비봉출판사 1997. 김윤상역)이 지금 대한민국의 부동산 정책을 뒤흔들었다. 지대조세론, 단일세제 등이 가진 문제점을 살펴보면 현재의 위기를 어떻게 돌파할지 지혜가 보인다.

노무현 정부에서 실패한 정책이 다시 문재인 정부에서 또 시도되었고 무려 20회가 넘는 정책 변경이 이뤄졌음에도 불구하고 커다란 문제를 남기고 국토부장관이 교체되고 다른 사람이 왔지만 그도 역시 헨리 조지의 그늘을 벗어나지 못한 사람이라는 점에서 앞으로도 많은 문제가 생겨날 것으로 보인다.

헨리 조지는 중학교를 중퇴할 수밖에 없었던 가난과 고난의 여러 역경 속에서도 꾸준히 독서를 통해 지적 역량을 확대시켜가며 자신이 겪고 보았던 사회 부조리와 빈부 격차 등의 원인에 대하여 고민하였고 그 결과로서 이 책을 쓰게 되었다.

그는 이 사회의 빈부 격차의 원인이 자연의 무상적 제공물인 토지를 일부 사람들이 사유화하는 데서 생겨난 것이라 보았다. 이를 증명하기 위해 리카도 등 다양한 정치 경제학 이론을 원용한다. 그리고 그들의 이론에서 보이는 결점을 찾아내고 결과로서 생산의 3대 요소인 토지 자본 노동 중 지대가 이자와 임금을 착취하는 구조가 있음을 드러낸다.

상당히 설득력 있는 논리 전개가 보인다. 그러나 여기에 커다란 맹점이 존재한다. 토지 집중으로 인한 사회적 불평등의 확산은 제대로 보았지만, 그 문제를 해결하는 방법은 전혀 잘못되었다. 토지 집중은 결과이지 원인이 아니다.

그는 토지 관련 해결책으로 다른 모든 조세를 철폐하고 지대를 100% 환수하는 단일 조세제를 실시할 것을 제안한다. 이것도 언뜻 보면 타당성이 있어 보인다. 그래서 단일조세론자들이 여기에 넘어갔다. 레드컴플렉스가 심했던 미국 사회에서 자본가와 투쟁하지 않으면서, 사회주의 방식으로 가지 않으면서 문제를 풀어갈 방식이라고 보았다. 그런데 바로 이것이 큰 문제가 된다.

2000년 초 현재 우리나라의 총자산이 3000조원을 상회하는 것으로 계산되었다. 이중 토지 부분이 적어도 1000조원은 넘으리라고 본다. (정확한 통계를 찾아볼 필요가 있다.) 그렇다면 이로 인한 지대가 연리 10%로 환산하더라도 100조원에 달한다.

2020년엔 국가 예산이 550조원 정도가 되었다. 2000년 초 우리나라의 1년간 국가 예산이 100조원 정도 된다. 부가세 등을 거두어서 이를 충당하는데 간접세의 비중이 크다. 200만 원짜리 펜티엄 컴퓨터 한 대를 사면 부가세를 20만원을 낸다. 180만원이면 살 수 있는 것을 200만원을 주고 사야 한다.

그런데 강남 고속터미날의 2평짜리 식품코너 임대료가 1억을 넘는다. 그래서 슈퍼에서 450원하는 생수가 여기서는 600원에 팔린다. 대중교통을 이용하는 서민 소비자가 피해를 보는데 그 이득은 토지 주인이 가져간다. 그는 그 두 평에 대한 대가로 세금은 연간 몇 십만 원도 내지 않는다. 학생이 컴퓨터를 사는 데 내는 세금과 연간 수천만 원의 임대 수익을 올리는 부자가 내는 세금이 비슷한 것이다.

그래서 헨리 조지의 고민은 타당하지만 그 결과는 철학의 부재이고 이 철학의 부재, 신학의 부재를 한국의 헨리 조지 추종자들이 따랐고 큰 문제를 만들어냈다고 생각한다.

그러면 이것을 어떻게 실천할 수 있을까? 법을 바꿔야 하는데 이는 국회에서 할 수 있는 일이다. 그런데 국회의원들은 상당수 임대 수익으로 살아가거나 그러한 사람들과 이해를 같이하고 있다. 그래서 이들은 법을 바꿀 생각이 없다. 그러므로 우리가 국회의원이 되어야 한다. 대통령도 되어야 한다.

헨리 조지는 자본과 노동이 서로 싸우는 현실은 지주가 지대로 이자와 임금을 착취하는 구조를 이해하고 있지 못하기에 그러하다고 본다. 맞는다고 본다. 하지만 지주의 문제가 해결되어도 여전히 자본과 노동의 갈등 문제는 남을 수밖에 없다. 헨리 조지는 자본가들의 속성에 대해 심도 있게 이해하지 못했다고 본다. 그가 보는 것처럼 모든 자본가가 다 옳은 사람들은 아니다. 특히 자본주의 성장 과정에서, 자본 축적의 과정에서 보인 자본가들의 착취는 가히 놀랄 만하다.

지주가 악독하다면 자본가도 그럴 위험이 똑같이 많은, 오히려 현대 자본주의 사회에서는 더욱 그런 사람이다. 그는 노동자에 대해 우위에 있는 사람이다. 인간을 믿으면 곤란하다. 하나님이 함께 하시지 않는 인간은 위험하다. 노동자는 자본가에 비해 보다 더 약자이기에 보호해야 하지만 그들도 악의 가능성을 항상 지니고 있다. 조지는 뉴욕 시장에 두 번 출마한다. 그리고 두 번째 선거에서 사망한다. 과로가 원인이었다. 그는 자유로운 어울림과 평등이 진보의 조건이라 말한다.

부의 평등 없는 정치적 자유는 허구라고 말한다. 빈곤은 사람을 비굴하게 만든다고 한다. 부패한 민주정치는 부패한 독재정치보다 그 자체로 더 나쁘지는 않지만 국민성에는 더 나쁜 영향을 미친다고 말한다. 그리고 부패한 민주정에서는 언제나 최악의 인물에게 권력이 돌아간다고 한다. 옳은 분석이다. 그러나 대안이 틀리는 것을 헨리 조지는 반복한다.

국민의 정부가 최악, 최저질의 전제 정부로 변화하는 현상은 부의 불평등 분배에서 필연적으로 나타나는 결과라고 말한다. 이 책이 쓰인 것이 1890년경인데 오늘의 대한민국 현실을 너무도 정확하게 묘사해주고 있다. 그는 자유와 평등은 동의어라고 말한다. 그리고 이를 쟁취하는 데는 고난이 필요함을 역설한다. 희망을 잃지 않고 전진해야 한다고 말한다. 그러면 서로 떨어져 정의를 향해 나아가는 사람들이 언젠가 함께 만나게 된다고 한다.

우리 아리랑당 창추위는 헨리 조지의 이 책이 헛되지 않음과 그의 말대로 그의 죽음이 거기서 끝나지 않았음을 보여 낼 것이다. 다만 그의 대안이 잘못되었다는 것을 밝히고 올바른 대안을 제시할 것이다. 역사를 움직이는 신이 정의의 편이시기 때문이다.

한 때 성경적 토지 정의 모임이라고 명명했는데, 지대조세제는 전혀 성경적 토지 정의가 아니다. 땅을 둘러싼 악에 대해선 헨리 조지가 제대로 지적했지만, 그 대안은 전혀 성경적이 아니다.

다음의 질문은 성토모와 2003년 토론회 때 질의했던 내용이다.

〈성경적 토지 정의를 위한 모임〉에의 질의 사항

성경적 경제 정의를 실현하기 위해 애쓰시는 성토모 회원님들께 감사드리며 몇 가지 질문드리겠습니다.

1) 성토모가 생각하는 경제 활동의 주요 목적은 무엇인가요? 생활 수단 확보가 영생을 가져다주는가요?

2) 생산의 요소가 토지, 노동, 자본인가요? 하나님은 생산 현장에서 어디에 계시는가요? 임금과 이윤은 하나님과 어떤 관계가 있는가요?

3) 잉여가치는 어떻게 창출되는가?요 교환가치를 통해 창출되는가요? 잉여가치 창출의 주체는 누구이며, 그 비율은 어떻게 됩니까? 개인이 창출한 것, 사회가 창출한 것을 어떻게 구별하며 그 비율은 무엇인가요?

4) 지대조세제로 거둔 세금은 누구에게 사용되어지는가요? 성경은 왜 그토록 가난한 사람들에게 나누어주는 것을 강조하셨는가요?

5) 지대조세제가 매년 십일조와 매3년 십일조, 면제년, 안식년, 희년의 내용을 어떻게 담고 있는가요? 십일조는 공적 성격, 희년은 사적 거래의 성격을 담고 있는데 지대조세제는 어떻습니까?

6) 소득세가 벌금인 이유는? 십일조가 벌금인가? 면제년이 도덕적 해이를 유발하는가요?

7) 지대조세제가 땅의 사용 효율을 높인다면 땅과 노동은 더욱 더 쉴 기회를 상실하지 않는가요? 안식년은 땅도 노동도 쉬고 하나님을 생각하는 해라고 봅니다.

8) 지주의 탐욕이 제어되면 자본가의 탐욕은 사라지는가요? 어떻게 지대조세제로 새 하늘과 새 땅이 도래하는가요? 왜 예수님은 부자 청년에게 영생을 얻으려면 가진 것을 모두 팔아(임금, 이자, 지대) 가난한 자들에게 나누어주고 예수님을 따르라 하셨는가요?

9) 지대조세제로 이미 생겨버린 자본의 크기 차이가 해소되는가요? 임대료가 비싼 땅을 자본의 크기 차이로 임대할 수 없는 사람들은 어떻게 되나요? 이것이 공정 경쟁인가요?

10) 희년법은 토지를 무상으로 균등 분할, 원상 회복했는데 지대조세제가 토지 무상 균등 분할의 효과를 가져오는가요?

11) 이스라엘이 각종 경제법 등을 통해 달성한 지니계수는 어느 정도로 추정합니까? 지대조세세를 통해 달성하려는 지니계수 목표치는 어떻게 됩니까?

12) 성경의 경제법은 신정국가로서의 정치적 속성을 뒷받침하는 구조였다고 보는데 이 점에서 정치 구조를 변화시키려는 노력을 전개하는 바와 별개로 움직이는 경제 운동, 토지 운동의 한계에 대해 어떻게 생각하십니까?
13) 성읍 내 가옥을 1년 이후에는 영구히 팔 수 있도록 하신 이유는 무엇일까요?

14) 예수님이 왜 희년을 거론하시기보다는 모든 것을 가난한 자들에게 나누라는 말씀을 하셨을까요?

15) 경제법에서 이방인과 이스라엘을 구별하신 이유가 무엇일까요?
우리의 답은 이렇다. 부동산은 세금이 아니라 민유화 국유화를 통해서만 해결이 가능하다는 점이며, 이는 토지 임대부 방식 도입으로서 해결 가능하다. 토지는 국유화 또는 국민소유화하고 그 건물만 자본재로서 개별 소유하는 방식이 문제 해결 원칙이 되어야 한다, 보다 자세한 내용은 이와 관련한 다른 항에서 논의하도록 하겠다.

48. 모든 국민은 거주 이전의 자유를 가진 것인가?

제14조
모든 국민은 거주·이전의 자유를 가진다.

헌법 제14조는 정말 지켜지고 있는가를 고민해보아야 한다. 우리가 북한처럼 국가가 거주 이전의 자유를 형식적으로 제한하고 있지는 않지만, 실질적으로는 거주 이전의 자유가 제한되고 있다.

지방에 사는 학생이 서울에 올라와서 거주하려 할 때 그 경제적 격차로 인해서 서울에 주거지를 마련할 수 없다면, 또 어떤 직장인이 회사와 가까운 곳에 주거를 마련하고자 하는데, 주택 가격으로 인하여 이것이 상당 부분 제한받고 있다면 이는 거주 이전의 자유가 실질적으로 상실된 상태라고 볼 수 있다.

헌법 11조에서 차별받지 않는다고 했지만, 실질적 차별이 이루어지고 있다. 이러한 예들이 일부 사례가 아니고 많은 서민 가정들에서 이뤄지고 있다. 이를 통계로 분명히 표시해야 한다.

레위인의 경우 그 원 거주지에서 다른 곳으로 옮겨 살고자 할 때 그렇게 할 수 있도록 했다.

6 이스라엘 온 땅 어떤 성읍에든지 거주하는 레위인이 간절한 소원이 있어 그가 사는 곳을 떠날지라도 여호와께서 택하신 곳에 이르면

7 여호와 앞에 선 그의 모든 형제 레위인과 같이 그의 하나님 여호와의 이름으로 섬길 수 있나니

8 그 사람의 몫은 그들과 같을 것이요 그가 조상의 것을 판 것은 별도의 소유이니라(레위기 18장)

49. 대한민국은 민주공화국인가 부동산 공화국인가

제1조

①대한민국은 민주공화국이다.

②대한민국의 주권은 국민에게 있고, 모든 권력은 국민으로부터 나온다.

주권이 국민에게 있는데 이 국민은 누구를 뜻하는 것인가? 오직 토지와 주택을 과다하게 소유한 일부 국민을 뜻하는 것인가? 그렇지 않다. 만약 그렇다면 이는 민주공화국이 아니기 때문이다.

제10조

모든 국민은 인간으로서의 존엄과 가치를 가지며, 행복을 추구할 권리를 가진다. 국가는 개인이 가지는 불가침의 기본적 인권을 확인하고 이를 보장할 의무를 진다.

위 헌법 제10조에서 모든 국민을 지칭하고 있다. 일부 국민이 아니다. 특히 다수 국민이 부동산 정책과 상황으로 인해 고통 받고 있다면 이는 반드시 척결되어야 할 대상이 된다. 민주공화국이기 때문이다.

헌법 제11조

①모든 국민은 법 앞에 평등하다. 누구든지 성별·종교 또는 사회적 신분에 의하여 정치적·경제적·사회적·문화적 생활의 모든 영역에 있어서 차별을 받지 아니한다.

②사회적 특수계급의 제도는 인정되지 아니하며, 어떠한 형태로도 이를 창설할 수 없다.

③훈장등의 영전은 이를 받은 자에게만 효력이 있고, 어떠한 특권도 이에 따르지 아니한다.

11조도 이를 보강해준다. 특수계급이 존재하지 않으며 창설할 수도 없다. 그러나 이는 부동산에 있어서 실질적 특수 계급이 생겨났다고 볼 수 있다. 현실적 대안을 통해서 헌법 정신을 실현해야 한다. 모든 국민이 강남아파트를 소유할 수는 없다. 그러나 국민연금을 통하면 이는 불가능한 일이 아니다.

모든 국민이 강남 아파트와 서울 아파트들을 자녀에게 증여하거나 상속해줄 수는 없다. 그러나 국민 연금 소유를 통하면 이것이 실질적으로 이루어질 수 있다.

50. 헌법 전문에 기초한 부동산 정책의 필요성

헌법 전문은 다음과 같다.

유구한 역사와 전통에 빛나는 우리 대한국민은 3·1운동으로 건립된 대한민국임시정부의 법통과 불의에 항거한 4·19민주이념을 계승하고, 조국의 민주개혁과 평화적 통일의 사명에 입각하여 정의·인도와 동포애로써 민족의 단결을 공고히 하고, 모든 사회적 폐습과 불의를 타파하며, 자율과 조화를 바탕으로 자유민주적 기본질서를 더욱 확고히 하여 정치·경제·사회·문화의 모든 영역에 있어서 각인의 기회를 균등히 하고, 능력을 최고도로 발휘하게 하며, 자유와 권리에 따르는 책임과 의무를 완수하게 하여, 안으로는 국민생활의 균등한 향상을 기하고 밖으로는 항구적인 세계평화와 인류공영에 이바지함으로써 우리들과 우리들의 자손의 안전과 자유와 행복을 영원히 확보할 것을 다짐하면서 1948년 7월 12일에 제정되고 8차에 걸쳐 개정된 헌법을 이제 국회의 의결을 거쳐 국민투표에 의하여 개정한다.

위 헌법 전문은 헌법 전체를 꿰뚫는 이념이며, 따라서 모든 법률의 토대가 된다. 따라서 부동산 정책과 관련한 여러 문제에서 이 전문의 규범성은 기초가 된다는 점에서 숙지해야 하고, 그 전문적 선언으로 볼 때 현재 대한민국의 부동산 정책이나 방향성은 위헌적이고 반헌적이라 볼 수 있다.

대한민국의 대부분의 남성은 헌법에 따라 국방의 의무를 지고 목숨을 걸고 군에 복무하게 된다. 대부분의 가정은 바로 이러한 남성들이 구성원이 된다. 그러므로 주택 문제를 겪고 있는 가정들의 문제를 해결하는 것은 그들의 국가에 대한 충성에 대한 당연한 보답이다.

전 국민의 주거 문제를 해결하는 것이 사회주의 방식이라든지, 공산 독재라고 한다면, 서민들의 아들들이 군복무 의무를 지게 하는 것도 해소되어야 한다.

만인에 의한 만인의 투쟁으로 가야 한다. 그러나 우리는 헌법 정신에 따라 질서 있고 공존한 사회를 유지하려 한다. 따라서 이 원칙은 반드시 인간 생활에 가장 중요한 요소 중 하나인 주택 문제에도 적용되어야 한다.

그런데 국가가 이 문제를 시장의 투기에 방치하고 있고, 이는 다시 거기에 끼어든 주택 대출 관련 은행이나 기관들의 사냥터로 작용하고 있고, 그 이득금은 그 대주주들인 외국인들의 배당금으로 넘어가고 있다.

이를 금융위원회에서나 금감원에서 파악하면 정확한 자료가 나온다. 대통령은 통계에 기반을 둔 정책을 수행해야 한다. 국가는 세금으로 이 문제를 잡는다 하지만, 결국 그 세금은 다시 세입자에게 전가되기 마련이다. 이 큰 구조를 이해하고서 투기를 투기로써 잡는다는 생각을 가져야 한다. 큰 불은 불로 잡아야 한다.

정부의 투기 앞에 경쟁할 대상은 누구도 없다. 국가는 폭력을 독점한다. 투기도 국가만이 독점해야 한다. 주택은 일반 상품과 다른 점이 있기 때문이다.

51. 땅은 누구의 것인가

토지 소유를 둘러싼 극한투쟁이 지구 창조 이후로 계속되어왔다.

그러면 토지 소유권자는 누구인가?

창세기 1장 1절에선 이를 정확히 말씀하고 계신다.

"태초에 하나님이 천지를 창조하시니라" 땅을 만드신 분이 야훼이시다. 그러니 당연히 토지 소유주는 야훼이시다.

레위기 25장 23절에 야훼께서는 다시 한 번 이젠 경제적 관점에서도, 또는 토지법의 관점에서도 그 소유주가 자신이심을 정확히 표명하신다.

23 토지를 영구히 팔지 말 것은 토지는 다 내 것임이니라 너희는 거류민이요 동거하는 자로서 나와 함께 있느니라

이스라엘이 가나안 땅을 얻기 전에 야훼께서는 미리 이렇게 모세를 통해 그 뜻과 법을 말씀하셨다. 가나안 땅에는 가나안 7부

족이 살고 있었지만, 그들을 멸절하고자 하셨다. 그들의 동성애, 인신 제사, 가난한 자 착취, 우상 숭배 등 말로 다할 수 없는 패악한 죄악과 문화를 가진 족속들이 그 땅에 살고 있음으로서 인류에 끼칠 악영향이 너무 컸기에 야훼께선 이곳을 정화하기 위해서 그들을 멸절하라고 명령하시고 대신 이스라엘 족속을 그 땅의 거류민으로서 선택하셨다.

그러나 그들에게 또한 분명히 말씀하셨다. 이스라엘이 의로워서 그 땅을 주시는 것이 아니라, 거기 거하는 민족들이 불의해서 그 땅을 주신다고 말씀하신다.

이러한 방식은 가나안 땅을 두고서 여러 차례 주인이 바뀌는 역사 속에서도 잘 드러난다.

야훼는 근본적 임대인이시고, 그 땅 거주자는 일시적, 임시적 임차인이다. 이는 오늘날 대한민국 땅도 마찬가지다. 바로 이 관점에서부터 출발해서 토지 소유를 바라보지 않으면 답이 나오지 않는다. 진화론적 관점에서 만인에 의한 만인의 투쟁은 공멸로 나아갈 뿐이다. 인류는 야훼의 후손으로서 신적 존재라는 개념이 토지 소유와 함께 고려되지 않으면 답이 나올 수 없다. 지금 모든 인류는 노아의 후손이다. 함 셈 야벳 세 아들로부터 나온 후손들이다.

우리가 원숭이로부터 진화된 인류라면 여전히 우리는 만인에 의한 만인의 투쟁을 해야 하고, 토지 소유에 있어서도 공존이 아니라 정복이 필요하다. 그러나 그렇지 않다. 정의가 토지 소유의 기반이 되어야 한다.

창조주는 정의로우시고, 정의의 원칙에 따라 역사를 운행하시고, 정의에 따라 마지막 날 심판하시기 때문이다. 그러니 지금 누가 부당한 방법으로 토지를 소유하고 독점하고 있을지라도, 그런 일들은 지구 역사에서 반복되어 왔지만, 정의를 통해 끊임없이 해소되어 왔다.

이사야서 5:8 말씀은 그 답을 보여주신다.

הוֹי מַגִּיעֵי בַיִת בְּבַיִת שָׂדֶה בְשָׂדֶה יַקְרִיבוּ עַד אֶפֶס מָקוֹם וְהוּשַׁבְתֶּם לְבַדְּכֶם בְּקֶרֶב הָאָרֶץ׃

이사야서 5장 8절과 9절은 그 결과까지도 보여주신다.

8 가옥에 가옥을 이으며 전토에 전토를 더하여 빈틈이 없도록 하고 이 땅 가운데에서 홀로 거주하려 하는 자들은 화 있을진저

9 만군의 여호와께서 내 귀에 말씀하시되 정녕히 허다한 가옥이 황폐하리니 크고 아름다울지라도 거주할 자가 없을 것이며(개역개정판)

8 You are in for trouble! You take over house after house and field after field, until there is no room left for anyone else in all the land.

9 But the LORD All-Powerful has made this promise to me: Those large and beautiful homes will be left empty, with no one to take care of them.(cev)

야훼께서는 성경 여러 곳을 통해 지속적으로 소유권을 주장하신다.

[욥기 41:11]

누가 먼저 내게 주고 나로 하여금 갚게 하겠느냐 온 천하에 있는 것이 다 내 것이니라

[시편 50:10]
이는 삼림의 짐승들과 뭇 산의 가축이 다 내 것이며
[시편 50:11]
산의 모든 새들도 내가 아는 것이며 들의 짐승도 내 것임이로다
[시편 50:12]
내가 가령 주려도 네게 이르지 아니할 것은 세계와 거기에 충만한 것이 내 것임이로다

야훼를 대적하여 소유권을 부당하게 주장하는 세력이 많았다. 그 중 한 사람이 이집트의 권력자 바로였다. 그에게 야훼께서는 이렇게 대답하신다.

2 인자야 너는 애굽의 바로 왕과 온 애굽으로 얼굴을 향하고 예언하라
3 너는 말하여 이르기를 주 여호와께서 이같이 말씀하시되 애굽의 바로 왕이여 내가 너를 대적하노라 너는 자기의 강들 가운데에 누운 큰 악어라 스스로 이르기를 나의 이 강은 내 것이라 내가 나를 위하여 만들었다 하는도다
4 내가 갈고리로 네 아가미를 꿰고 너의 강의 고기가 네 비늘에 붙게 하고 네 비늘에 붙은 강의 모든 고기와 함께 너를 너의 강들 가운데에서 끌어내고
5 너와 너의 강의 모든 고기를 들에 던지리니 네가 지면에 떨어지고 다시는 거두거나 모으지 못할 것은 내가 너를 들짐승과 공중의 새의 먹이로 주었음이라

제6장

52. 대한민국 부동산 영구평화론

주님이 재림하시기 전까지, 온 땅에 야훼의 심판이 임하시기 전까지 부동산 문제는 끊임없이 대한민국과 세계를 괴롭힐 것이다.

부동산에 대한 근본적 신학과 철학이 필요하고 이를 기반으로 한 국토 정책이 마련되어야 한다. 그런데 근본 철학부터 잘못되었으니 그 위에 세워진 정책들은 모래 위에 지어진 집과 같다.

현 문재인 정부의 주택 정책 등은 헨리 조지의 진보와 빈곤에서 제시한 지대조세론에 근거한 바가 크다고 볼 수 있다. 따라서 헨리 조지나 그를 추종하는 세력들의 신학이나 철학에 대한 합리적 비판이 선행되지 않고서는 지금의 대한민국의 부동산 관련 난맥상을 해결할 수 없다. 우리는 진보와 빈곤을 비판하고, 근본적 대안을 이집트 토지 개혁을 완수한 요셉 총리의 방식에서 찾고자 한다.

인간으로서 본질적인 권리인 주거권을 모두가 평화롭게 누릴 수 있는 나라, 자신들의 자산과 능력을 제로섬 게임이 아니라 윈윈하고 공존할 수 있는 영역에 투입하도록 국가가 선도하는 영역으로서의 주택 시장이 형성되도록 하는 일이 필요하다.

필수재의 시장이 약육강식, 혹은 유전승자의 장이 되는 것은 장기적으로 대부분이 죽어가는 시장이 되는 지름길이다. 이를 막고 영구평화의 장으로 만들어가는 것이 요구된다. 이를 고민하고 대안을 찾는 것이 정치인의 몫이고, 또 국민 모두의 요구이다. 불안하기에 사재기를 한다. 이불안을 항구적으로 없애는 영구 평화안이 부동산 시장에 필요하다.

부동산에서 토지는 확대재생산이 불가하다. 그러나 건물은 그것이 가능하고 품질향상도 추구되어야 한다. 이런 양면성을 이해하고 국민들의 정당한 소비 욕구는 충족되어야 하면서도, 여유 계층의 사재기는 방지되어야 하고, 그들의 독점은 규제되어야 한다.

세금을 통한 규제는 부차적이어야 하며, 지속 발전 가능한 형태의 공급과 개량과 개선은 계속 되어야 한다. 이 영역에는 끊임없이 탐욕 세력의 주도권 장악이 시도되어지는데 이를 통제할 공정한 권력의 우위가 요구된다.

여호와께서 보시기에 정직하고 선량한 일을 이 영역에서 행하는 일이 기독 정당의 주요 업무 중 하나이다. 이미 여러 정권에서 여러 차례 기회를 놓쳤다. 처음부터 강남 개발 등을 할 때 이런 고려를 했어야 하는데 실패했다.

노무현 정부 때 판교 개발을 하기 전에 강남 등지의 주공 아파트들을 시세에 싸게 사들였어야 한다. 나는 여러 차례 이런 제안을 했지만 받아들여지지 않고, 판교 개발이 이루어지고, 거기에서 나온 토지 보상금이 다시 강남 등지로 회귀하면서 강남 아파트의 폭등이 시작되었다.

세계 경제와 맞물려 이명박 박근혜 정부에서 부동산 침체기를 맞았고, 특히 이명박 정부의 반값 아파트 정책이 주효하면서 부동산 안정기를 넘어 침체기로도 이어졌다. 그런데 이 시기에 다음 집권 세력인 박근혜 정부가 저렴해진 강남 부동산 등을 사들였어야 하는데 이렇게 하지 않고, 임대 사업자 우대 정책 등을 통해 오히려 부동산 시장 활성화에 나섰다.

그러다가 좀체 회복되지 않던 부동산 시장이 박근혜 대통령 탄핵과 문재인 정부의 등장과 맞물려 폭등을 시작했다. 부동산 시장에서는 노무현 정부의 데자뷔를 기대했다. 세금으로 부동산을 잡으려는 것의 허점을 시장은 잘 알고 있었고, 여기에다가 문재인 정부가 내놓은 파격적인 임대사업자 우대 정책은 기름에 불을 붓는 격이 되었다.

세계 경제의 양적 완화와 맞물려 한국 부동산 시장은 불가마가 되었고, 중국 자본 등도 여기에 합세했다. 이제 남은 수는 거의 없다. 그러나 아예 없는 것은 아니다. 바로 그간 축적해놓은 도심지의 임대아파트들을 활용하는 방법이다.

다른 항목에서도 이를 자세히 논의하겠다. 여기서 간단히 정리하면 다음과 같은 구조적 전략이다. 칸트의 영구 평화론을 통해서 유럽연합이 탄생되고 유럽에서 끊임없이 지속되었던 전쟁을 종식시켰다. 대한민국 부동산에서도 영구 평화가 필요하다.
SH와 LH가 보유한 임대아파트들을 현재 임차인들에게 토지임대부 아파트를 소유권 이전해주어야 한다. 이를 통해 SH의 10조 부채, LH의 120조원의 부채를 청산할 수 있다.

토지는 국민연금에게 팔아야 한다. 국가 기관의 소유에서 국민 모두의 소유로 전환이 필요하다. 이 아파트들의 대지를 모두 국민 연금에 감정가로, 또는 공시지가로 또는 적당한 타협선을 찾아서 다 판다. 이 과정을 통해서 SH와 LH의 부채가 사라지고 오히려 자산이 형성된다. 국민연금은 이 토지를 사들이고 다시 SH와 LH 등과 함께 하여 정부의 지원 하에, 용적률을 최대한 높여서 수명이 오래된 아파트들부터 순차적으로 재건축한다.

기존 주민들에게만 토지임대부로 분양 전환해주고, 재건축한 물량은 20평, 25평, 30평으로 단순화해서 주변 시세에 맞춰 장기 전세나 월세로 임대한다.

여기에서 나온 수익금을 통해 다시 중심부의 아파트들을 시세에 사들인다. 민간인이 내는 취·등록세나 보유세를 국민연금이 소유한 이 아파트들에는 부과하지 않음으로써 시장 경쟁에서 월등한 지위를 확보하게 되고 이로써 다른 모든 투기자들을 압도할 수 있게 된다.

민간의 투기에 대해선 취·등록세와 보유세를 징벌적으로 과세하고, 국민연금의 투자에 대해선 큰 혜택을 줌으로써 부동산 시장에서 국민연금의 완전한 승리를 보장해준다. 이를 통해 얻을 수 있는 파생 효과들도 존재한다.

첫째, 기존 임차인들 중 기초수급생활자나 정부 지원 세대들이 토지임대부로 분양 받음으로써 자본을 확보할 수 있게 되고 새로운 삶의 장이 열리게 된다. 가난의 대물림이 끊기게 된다.

예를 들어 현재 12평 내외에 살던 세대가 재건축을 통해 20평형 정도의 아파트를 분양받게 되는 경우, 강남 수서의 경우 이 소유자가 이를 세를 놓을 경우 5억 원 정도의 보증금을 확보하게 된다. 그리고 이 소유자는 이 집을 떠나 저렴한 곳으로 이사하게 되고 이 자금을 활용하여 새로운 일을 도모할 수도 있다. 그리고 자녀의 여러 일을 도울 수 있다. 게다가 이 자본으로 인해 이제는 기초수급에서 벗어나게 된다.

정부 재정 부담이 현저히 줄어들게 된다. 현재 국민연금은 보건복지부 산하 기관이다. 보건복지부에서 한편으로는 저소득층을 위한 예산이 밑 빠진 독에 물 붓는 형태로 빠져나가게 되는데 이를 막을 수 있게 된다. 이는 성경에 나오는 희년의 방식이 되기도 한다.

둘째, 국민연금의 고갈을 막을 수 있다. 대한민국의 부동산 사용료는 대한민국의 경제가 발전하면 할수록 더욱더 높아지게 된다. 따라서 국민연금이 중심지의 토지와 아파트를 장악하면 거기에서 나오는 임대료 수익은 계속 증대될 것이고 이를 통해 국민연금의 고갈 문제는 영구히 사라지게 된다. 현재의 국민과 이들의 후손들이 대대로 이 땅의 열매를 골고루 누릴 수 있는 나라가 된다.

셋째, 국민들이 이제 더 이상 부동산 사재기에 집중하지 않음으로써 국민들의 자본이 더 효율적인 곳에 투입되게 된다. 특히 은행 등의 이자로 지급될 국민들의 자금이 투자와 소비로 돌려짐으로써 국가 경제는 지속적 성장을 할 수 있게 된다. 이렇게 된다면 저 출산 문제도 자연스럽게 해결된다.

넷째, 지금은 임대아파트들이 한 곳에 몰려 있음으로써 국민간 불화를 조장하는 방식이지만, 앞으로는 위와 같은 방법을 쓰면 누가 임대아파트에 사는지는 당사자와 국민연금 혹은 SH, LH 등 만 알 수 있게 된다. 기획재정부, 보건복지부, 국토교통부, 국민연금, LH. SH 등의 협의체를 만들어서 위에 제시한 여러 문제들을 논의하고 치밀하게 추진하면 된다.

여기에서 대통령의 의지와 이해는 아주 중요하다. 국회에서입법 보완할 사항도 마련되면 된다. 싱가포르의 국공유지 확보율이 88% 정도에 이른다고 한다. 대한민국도 가용 토지가 부족하고 특히 중심지 토지는 더욱더 그러하면 외국 투기 세력까지 끼어든다면 홍콩 같은 부동산 지옥이 되어버린다.

위 방법을 치밀하게 실행함으로써 대한민국의 부동산 시장의 영구 평화를 달성하고 국민 생산성을 높임으로써 세계 최고의 선진 국가로 발돋움할 수 있어야 한다.

53. 나의 주택 체험기(29세까지)

1981년도 서울대 입학과 함께 시작된 서울 주택 체험을 오늘 2020년 11월까지 체험기를 적어보도록 하겠습니다. 각 구간에서 경험했던 내용들이 오늘날도 여전히 서울에서 반복되고 있다는 점에서 놀랍습니다.

1980년까지 전주에서 살았습니다. 1962년 전주 교동에서 태어나 주로 그 일대 한옥들에서 살았습니다. 그러다 1981 2월에 드디어 서울로 올라오게 됩니다.

서울대 합격과 함께 지방학생에게 제공되는 서울대 기숙사에 합격했으나, 당시 한 학기 기숙사비가 10만원이었는데 이 비용을 마련할 수 없어서 결국 구로구 구로동 당시 구로구청사 근처 주택에 세 들어 사시는 이모님 댁에서 얹혀사는 삶이 시작되었습니다. 지방출신과 서울이라 하더라도 등하교 시간이 많이 걸리는 학생들을 위한 저렴한 기숙사가 제공되는 것은 국가 발전을 위해서 반드시 필요한 일임을 이 기간을 통해 체험하게 됩니다.

청년 주택, 지방 학생들의 주거 문제는 40여년이 지난 지금도 서울의 고질적 문제입니다.

구로동에서 114번 버스를 타면 돌고 돌아 관악구 신림동 서울대 입구까지 가는데 당시 버스비가 100원이었습니다. 너무 가난한 시절이라 구로동에서 구로 공단을 통과해서 난곡을 거쳐 서울대까지 걸어 다니는 날들이 많았습니다. 구로공단을 지날 때면 제 또래의 청년들이 공장으로 출근하는 길을 같이 걸었습니다. 지금도 생각나는 공장은 아남전자 공장입니다.

구로 시장을 좀 지나면 닭장집이라고 하는 주거 형태가 있었는데 많은 공장 노동자들이 그 곳에 살았습니다. 당시 저도 이모님이 이모부와 사별하고 어린 자녀 셋과 단칸방에 사셨는데 그 곳에서 얹혀살아야 했으니 참 미안하기도 하고 어렵기도 했습니다. 사촌들을 돌보는 일이 제 몫이었는데 학교에서 매일 데모와 최루탄, 돌아오는 길은 공단의 어려운 근로자들..

서울 생활은 이렇게 시작되었습니다. 그러다 5월에 김태훈 선배가 도서관에서 투신하는 일을 목격하게 됩니다. "전두환 물러가라" 외치고서. 신부가 되려고 했던 경제학과 4학년 선배의 죽음은 제 개인적인 서울 생활의 어려움과 함께 큰 고통으로 다가왔습니다.

수업은 거의 매일 휴강인 경우가 많았습니다. 1학년 7반이었는데, 지금 민주당의 윤호중 친구랑 같은 반이었습니다.

1982년. 관악구 봉천 6동 봉천 중앙 시장 근처 주택에서 방한칸 빌려 자취하는 친구 자취방을 같이 쓰게 되었습니다. 전주고 동기이자 서울대 국사학과를 다니는 친구였는데 지금 경향신문에 있는 친구입니다. 그 때 양기대 친구(광명시장 거쳐 현 민주당 광명 국회의원)도 많이 놀러왔습니다.

전주에 가서 반찬을 가지고 오면 일대의 자취 친구들이 모두 모여들고 그 반찬이 사라질 때까지 거주하다가 사라지는 형태였습니다. 모두 어려운 시절이었지만, 또 그 때가 그립기도 합니다.

당시 운동권 친구들도 그 자취방에 많이 드나들었습니다. 저는 운동권이 아니고, esf 라는 성경 공부 모임에 집중하고 있었기에 항상 이 친구들이 공부하는 내용에 대한 콤플렉스가 있었습니다.

그 자취방이 있던 집에 세 들어 사시던 다른 젊은 부부가 다니던 근처 교회에 같이 다녔는데, 봉천동 달동네 일대에 사시던 분들이 많이 출석했고, 그래서 심방할 때 그 댁들을 많이도 가 보았습니다. 수십 채의 집이 화장실 하나를 사용하는 집들이었습니다.

이 때 했던 알바 중 하나가, 크리스마스이브에 중구에 있는 무랑루즈인가 하는 나이트클럽에 가서 밤새 주방에서 설거지 하는 일이었습니다. 교회 형이 소개시켜줘서 갔는데, 참 아이러니 했습니다. 누구는 밤새 술 마시고 춤추고 놀고, 누구는 밤새 그들이 먹고 남긴 그릇들 설거지 하는 일. 크리스마스이브에. 그리고 그 알바를 그 날 밤 하루만 하고 그만 두었습니다. 더럽다는 생각이 들었습니다. 밥 한 끼 준 것 외에 그 나이트클럽에서 어떤 임금도 지급하지 않았습니다. 교통비조차 주지 않았습니다. 참 나쁜 사람들이라는 생각이 들었습니다.

2학년 때 내내 했던 알바 중 하나가 창비사 알바였습니다. 서울 시내 대부분의 대학들을 돌아다니면서 책 사고 수금이 되지 않는 학생들을 찾아가서 만나고 그 학생들의 연락처를 찾아 종로에 있는 창비사 사무실에 가져다주는 일이었는데, 이 때 거의 대부분의 서울 시내 대학들을 돌아다니게 되었습니다. 다른 대학교의 축제 한번 가본 적이 없는 저였는데 이 일로 서울 시내 대학들 순회를 하였습니다.

이 알바를 마치고 종로에서 시내버스를 타고 봉천동으로 95번 등의 버스를 타고 올 때면 퇴근 시간이라 정말 시내버스 안이 콩나물 시루였습니다. 하루 종일 걸어 다녔기 때문에 허리는 너무 아프고 그래서 그 때 누군가 나에게 자리 좀 양보해주면 정말 좋겠다는 생각을 한 적이 많았습니다.

그 때 이후로 버스를 탈 때마다 정말 피곤하지 않다면 좌석이 내 앞에서 비어도 앉지 않기로 했습니다. 누군가 그 때의 나 같은 사람이 있으리라는 생각 때문이었습니다.

겨울이 되어서 친구가 고향으로 내려간 자취방에 홀로 3일을 굶고 누워 있다가, 연탄불도 다 꺼진 방에 누워 있다가 우연히 다시 성경을 읽게 되면서 믿음을 가지게 되었습니다. 학교는 날마다 데모인데, 다니던 교회나 네비게이토 선교회에서는 어떤 답도 주지 못해서 답답한 상황이었습니다.

그러나 춥고 배고프게 며칠을 누워 있다가 우연히 읽어본 성경은 사도 바울이 감옥에 갇혀서 보낸 편지였습니다. 예수님을 전하기 위해 매 맞고, 춥고, 배고프고 서러운 처지의 사도 바울의 상황이 제 상황과 대입되면서 이런 분은 거짓말할 수는 없겠다는 생각에 예수님을 믿게 되었습니다.

교회 목사님들은 편안한 상태에서 복음을 전하지만, 그래서 복음을 전하는 것이 그들에게 유익이지만, 사도 바울은 복음을 전할수록 자신에게 불리한데 그래도 전하는 것이라면 이는 진정 진실이기 때문이라는 확신이 들게 되었습니다.

1983년 그나마 친구가 이사하게 되면서 더 이상 그 자취방에 얹혀사는 것도 불가하게 되었고, 동생이 서울로 재수를 하러 올라오게 되어 둘이 거할 자취방을 구하러 다녔는데 가격이 너무

비싸서 교회 형들의 소개로 상도동에 있는 도사견들 사육장에 딸린 방에 갔다가 하루를 자고서 나오게 되었습니다. 개막사에 딸린 방이었는데 사람들은 모여서 화투를 치고, 개 똥 오줌 냄새가 가득했습니다. 여름이 오면 병에 걸리겠다는 생각이 들어서 동생과 저는 흩어지기로 하고 동생은 구로동 이모님 댁으로, 저는 지금 숭실대 교수로 계신 김회권 선배의 자취방으로 가서 얹혀살게 되었습니다.

신림여중 앞에 있는 서림 연립이었는데, 방 한 칸을 빌려 자취하는 영문과 선배이자 동아리 선배의 방으로 간 것입니다. 주인댁은 순복음교회에 다니시고, 호텔 주방장으로 계신 분이었는데 참 친절하게 대해주었습니다. 좁은 집에 많은 사람이 거주하니 그 집에 저까지 가서 민폐를 끼치게 되었습니다.

3학년 당시 서울대 고고학과 과대표를 하게 되었는데, 후배들이 거의 20여명 정도 구속되는 일이 벌어졌습니다. 저는 운동권이 아니었지만 참으로 힘들었습니다. 그리고 학사경고를 맞는 것으로 그들의 고통에 동참했습니다.

과외 금지 시기였기 때문에 온갖 알바를 했습니다. 시청 근처 삼성생명 건물 앞에서 교통 알바도 했습니다. 겨울에 그곳에서 매연을 맡고 서있으면 참으로 추웠습니다. 오토바이 순찰대 아저씨들이 돼지고기 많이 먹으라 하셨습니다. 매연엔 돼지고기 기름이 좋다고 하셨습니다.

1984년 선배가 군대에 가게 되고, 더 이상 거기 거할 수 없어서 그 서림 연립의 다른 집으로 가서 드디어 하숙을 하게 되었습니다. 가끔 그런 생각이 듭니다. 선배는 그 자취방을 그냥 남겨두고 군대에 갈 수는 없었을까? 주님은 목숨도 내어주셨는데, 동고동락한 후배에게 자취방 내어주는 것이 그토록 어려웠을까?

이런 고민은 교회 생활을 지속하면서 계속 든 의문들입니다. 후에 강남권의 교회들을 다닐 때, 같은 교구 식구들 중에 어떤 가장은 강남 아파트들을 몇 채씩 가지고 있고, 어떤 가정은 사업이 부도가 나서 좁은 빌라에 월세로 살고 있었는데, 이런 문제들은 결코 사적으로도 공유하지 않고 있었습니다.

다만 그들은 교회에서 만나서, 또 구역 모임에서 만나서 천국 이야기를 할 뿐, 지금 지옥을 겪고 있는 사람들의 문제에 관여하지 않았습니다. 그러면서 교회는 구원을 전파하는 곳이지, 이런 경제 문제에 대해 고민하는 곳이 아니라 했습니다. 그런데 그런 자들이 자신의 가정의 부를 늘리는 데에는 혈안이 되었고, 그 자식에게 재산을 물려주는 일에는 누구보다 지혜로웠습니다. 시편 17편의 다음 구절이 생각납니다.

14 여호와여 이 세상에 살아 있는 동안 그들의 분깃을 받은 사람들에게서 주의 손으로 나를 구하소서. 그들은 주의 재물로 배를 채우고 자녀로 만족하고 그들의 남은 산업을 그들의 어린 아이들에게 물려주는 자니이다

당시 ROTC로 군대에 가있던 형이 받은 월급을 제 하숙비로 보내주어서 한 선배와 한 방을 썼습니다. 하숙비가 월 10만원이었던 걸로 기억하는데, 형이 보내준 하숙비로 생활하는 것이 항상 마음에 걸렸습니다.

어느 날 학교에서 나오다가 유인물 하나를 받아서 하숙방에 가서 읽으려고 가방에 넣었다가 학교 앞에 포진한 전경 부대의 불심 검문을 받고, 그 유인물이 나오자 갑자기 주먹으로 배를 쳐서 숨조차 쉴 수 없는 상황이 되었는데, 그 때 이후로 위와 장에 문제가 더 생겨서 물만 먹어도 체하는 일이 계속되었습니다. 하숙집 밥도 먹기만 하면 체해서 50kg 정도까지 체중이 빠지게 되었습니다.

81년도에, 전주에서, 교회에 같이 다니던 녀석이, 지가 스토킹하던 여자애를 납치해서 강간하겠다는 말에, 그러면 가만 두지 않겠다고 경고하자, 지금은 고위공직자가 된 이 녀석이 갑자기 배를 쳐서 한동안 힘들었는데, 이 84년 일로 다시 도지게 되었습니다. 요즘도 조금만 신경 쓸 일이 생기면 그곳에 다시 문제가 생깁니다. 이 고통이 생길 때마다 기도드릴 때가 많습니다.

85년 2월에 서울대를 졸업하고 전주 집에 내려가 있다가 6월에 입영 통지를 받고 전주역에서 출발한 군용열차가 관악산을 지나 청량리로 갈 때 지난 4년의 관악산 생활이 주마등처럼 지나가면서 눈물이 났습니다. 학생으로서 살았다기보다 도시 빈민으로서 산 시간이었습니다.

춘천 102보를 거쳐서 홍천 11사단 신병 훈련소에서 여름 2달을 보냈습니다. 강원도 생활인데요. 이 훈련을 마치고 다시 서울 종로구로 돌아오게 됩니다.

경복궁 안에 있는 30경비단 생활이 시작되었습니다. 한 달은 경복궁 안에서, 한 달은 북악산에서 살았습니다. 왕이 기거했던 곳에서의 군 생활은 묘한 느낌이 들었습니다. 많은 구타와 어려움이 있었는데, 민비가 시해되었던 장소에서 밤에 근무를 서는 일은 만감을 교차하게 만들었습니다.

서민들의 아들들을 데려다가 몇 천원 쥐어주고서 2년 넘은 세월을 복무하게 했습니다. 일병이 되어서 남산 수도방위사령부 비서실로 배치되어 남산 생활이 시작되었습니다. 그러다가 사령관 당번병으로 공관 생활도 해보았으니 또 다른 주택 체험입니다.

공관 당번병을 하다가 어느 날 사령관님이 대통령 호출로 청와대에 들어가기에 정복을 가져다 드렸는데, 바지가 맞지 않아서 보니 부관 바지가 잘못 섞여 들어가서 큰 곤욕을 치른 일이 있었습니다.

누군가 일부러 이렇게 하지 않았나 하는 생각이 들었습니다. 그 일로 다시 비서실로 돌아오게 되었는데, 이 때 그 날 자신에게 경례하지 않았다고 벼르고 있다가 참모장실 당번병과 두 명이 합세하여 저를 때렸습니다. 다음날이 휴가 가는 날이었기에 일부러 그 날을 이 자들이 잡은 것으로 보입니다. 두 명은 망을 보고, 빰을 여러 대 쳤는데, 그냥 맞아주었습니다. 그 날 저는 사령관님의 바지를 다시 가져다드려야 했고 그래서 정신없이 왔다 갔다 하는데, 이를 두고 자신을 무시했다고 생각한 것입니다.

유도와 태권도로 달련된 저였기에 그냥 맞아주었습니다. 그런데 이 일로 사단이 났습니다. 이가 여러 개 금이 갔고 입속은

다 터져서 피가 낭자했습니다. 이 일은 결코 제 인생에서 잊을 수 없는 일입니다. 다음 날 전주 집에 가서 어머니 해주시는 밥을 먹으면 된다는 생각으로 맞아준 것이 큰 화를 불러온 것입니다.

지금 그 때 금갔던 이빨들이 후에 순차적으로 빠져서 9개의 이가 빠진 상태입니다. 하나님께서 더 이상 이 땅에 군대 폭력이 없길 간절히 기도드립니다. 때린 자가 나중에 휴가 후 복귀하니 자기가 오해했다는 것을 알고 잘 대해주었으나 제게 남은 고통은 지속되었습니다. 비좁은 내무반 생활을 하는 사병들은 국방의 의무를 다하기 위해 자기 희생의 기반 위에 군생활을 합니다. 이들의 주거 여건 개선을 위해 정부가 더욱 노력해야 합니다. 한편 그 일로 인한 고통이 제 삶에 깊이 남겨졌습니다. 지금도 식사를 할 때마다 이 일들은 잊을 수가 없습니다. 빠져버린 이빨들로 인해 제대로 씹기 힘들기 때문입니다.

예수님은 어떻게 자신을 때린 자들, 창으로 자신을 찌른 자들을 생각하셨을까요? 그 모욕을 어찌 참으실 수 있으셨을까요?

10여명이 한 내무반을 활용하여 취침을 하는 비서실 생활을 마친 후 1987년 9월에 제대해서, 수도통합병원 근처, 목동에 있는 이모 댁에서 잠시 기거하다가 다시 관악산 밑의 생활이 시작되었는데, 무일푼으로 제대하니 거할 곳이 없어서 한국기독대학인회 관악지구 회관에서 성경 공부가 끝나면 기다란 책상 위에서 잠을 잤습니다. 27개월간 자기 소득 활동을 전혀 할 수 없었던 군 복무자에게 아무런 주거도 제공하지 않은 채 사회로 방류하는 것은 국가의 죄악입니다. 군인 연금 등을 활용하여 사병 제대 군인 뿐만 아니라 간부 군인들의 제대 후 주택 문제 해결에도 적극 나서야 합니다. 주택 구매가 주요 방법입니다.

부모가 능력이 있는 집의 아들은 자기 집으로 돌아갈 수 있지만, 이것이 안 되는 사람들은 그야말로 벼랑 끝으로 다시 내몰리는 현실이었습니다. 제대 군인의 주거 문제 해결도 시급한 일입니다. 사병뿐만 아니라 하사관, 장교들의 제대 후 주거지 공급은 대단히 필요한 사업입니다. 군인 연금이 적극적으로 아파트 보유에 나서야 합니다.

동생들을 돌보아야 한다는 동생의 말에, 대학원 진학을 포기하고 LG 화학에 입사하게 됩니다. 그리고 순천으로 발령을 받아서 조례동에 살게 됩니다. 부모님은 자식들 가르치느라 돈을 다 쓰셔서 사글세에 살고 있었는데, 이 때 형이 순천에 집을 사게 되어서 다투게 됩니다. 부모님 집을 먼저 사드리는 것이 옳다고 제가 주장했습니다. 형이 대학에 들어갈 때 마지막 남은 집을 어머니가 파셨기에 당연히 부모님 집을 먼저 사드리는 것은 옳은 일입니다. 부모님이 중앙동의 전셋집으로 옮기게 되고, 처음으로 기름보일러 집으로 옮기게 되어 연탄 가는 일을 더 이상 하지 않으시게 되었습니다.

그리고 저는 1991년 서울대 외교학과에 편입하게 되어 다시 서울 생활을 시작합니다. 그런데 갈 곳이 없어서 서울대 앞 언덕배기, 대학촌 교회 앞에 있는 고시원에서 생활합니다. 참으로 좁았습니다. 1달 정도 사니 좁은 공간에 적응이 안 되어 병이 났습니다.

54. 주택 공급과 주택 관련 세제의 전면적 개혁이 필요한 시점

지난 몇 년간, 또는 지난 수십 년간 대한민국에서 주택 문제는 주요 국정 과제였다. 이를 해결하기 위해 여러 정부가 노력했지만, 현재 그 결과는 참담한 지경에 이르렀고 앞으로도 뚜렷한 개선책이 보이지 않으며, 대도시 등에서는 런던과 파리 홍콩 등의 주택 문제가 고질화되었다. 따라서 땜방식의 정책이 아니라, 정책 목표를 분명히 하고서 이 문제를 전면적으로 해결해야 한다.

그 대안은 다음과 같다.

1) 주택 정책 목표는 주거 안정과 주거비용 절감, 그리고 직주근접에 의한 자유로운 주거 이전이다.

2) 주거비용 절감은 주택이 일부 다주택자 혹은 수익을 목표로 하는 민간 임대 사업자들의 먹잇감이 되도록 해선 결코 달성할 수 없다. 최근 베를린 시당국이 임대료 인상을 5년간 동결하는 법을 통과시켰는데 이도 독일 헌재로 가야할 문제일 뿐만 아니라 미봉책에 불과하다.

3) 대안은 국민 공유 아파트가 대도시에선 최소 80% 정도 되어야 한다. 이는 싱가포르를 통해 입증되었다.

4) 어떻게 국민연금 등을 통해 대도시 아파트와 주택을 80% 정도 장악할 수 있는가?

최근 베를린 시가 그간 팔았던 임대아파트들을 다시 사들이는 정책을 펼치고 있다. 파리도 고가 주택을 다시 사들이고 있다.

4-1) 먼저 기존 임대아파트들을 임차인들에게 토지임대부로 소유권을 이전해줌과 동시에 재건축을 통해 LH 소유 153만 여 채의 임대아파트를 500만 채로 확대 소유해야 한다. 이 과정에 국민연금과 엘에이치 에스에이치 자산관리공사 등이 참여해야 한다.

그리고 여기에서 축적된 자산을 바탕으로 다시 대도시의 아파트 가격 하락을 세제와 대출 관련법, 임대사업법 개정 등을 통해 유도하면서 물량을 확보해야 한다.

4-2) 땜방식의 정책이 아니라 10 여년의 장기 계획을 통해 이를 달성해야 한다.

5) 서민의 주머니 사정에서부터 출발하는 주택 공급 정책, 세제

정책이 필요하다. 10년 공임의 가격도 바로 서민, 입주자의 주머니 사정에 근거한 분양가 산정이 필요하다.

6) 1주택자 비과세는 신속히 시행되어야 한다. 장기 거주 1주택 세대에 대해선 오히려 비과세뿐만 아니라, 다른 혜택도 주어져야 한다. 다주택자에 대해선 징벌적 세금 부과가 필요하다.

55. 국가 계약과 10년 공임

아래의 국가를 당사자로 하는 계약에 관한 법률을 살펴보면 현행 10년 공임의 계약은 신의칙에서부터 또 예정 가격의 작성이 미비한 점, 그리고 현저한 물가변동에 따른 계약 금액의 조정, 그리고 잘못된 계약서의 감정가 조항 등을 이유로 전면적 수정이 필요한 상황이었는데, 이의제기 기간의 문제가 있더라도 위 법의 제정 취지로 볼 때 현행 국토부 시행령에 근거한 감정가 조항 자체가 위 법의 취지에 여러 모로 위배된다는 점에서 전면적 파기와 더불어 새로운 계약이 필요하다고 본다.

대통령의 적극적인 의지가 필요하다. 만약 대통령이 그럴 의지가 없다면 이를 실행할 새로운 대통령도 찾아야 한다.

제5조(계약의 원칙)

① 계약은 서로 대등한 입장에서 당사자의 합의에 따라 체결되어야 하며, 당사자는 계약의 내용을 신의성실의 원칙에 따라 이행하여야 한

다.

제8조의2(예정가격의 작성)

① 각 중앙관서의 장 또는 계약담당공무원은 입찰 또는 수의계약 등에 부칠 사항에 대하여 낙찰자 및 계약금액의 결정기준으로 삼기 위하여 미리 해당 규격서 및 설계서 등에 따라 예정가격을 작성하여야 한다. 다만, 다른 국가기관 또는 지방자치단체와 계약을 체결하는 경우 등 대통령령으로 정하는 경우에는 예정가격을 작성하지 아니하거나 생략할 수 있다.

② 각 중앙관서의 장 또는 계약담당공무원이 제1항 본문에 따른 예정가격을 작성할 경우에는 계약수량, 이행기간, 수급상황, 계약조건 등을 고려하여 계약목적물의 품질 · 안전 등이 확보되도록 적정한 금액을 반영하여야 한다.

③ 제1항 본문에 따른 예정가격의 작성시기, 결정방법, 결정기준, 그 밖에 필요한 사항은 대통령령으로 정한다.
[본조신설 2019.11.26] [[시행일 2020.5.27]]

제19조(물가변동 등에 따른 계약금액 조정)

각 중앙관서의 장 또는 계약담당공무원은 공사계약 ·제조계약 · 용역계약 또는 그 밖에 국고의 부담이 되는 계약을 체결한 다음 물가변동, 설계변경, 그 밖에 계약내용의 변경(천재지변, 전쟁 등 불가항력적 사유에 따른 경우를 포함한다)으로 인하여 계약금액을 조정(調整)할 필요가 있을 때에는 대통령령으로 정하는 바에 따라 그 계약금액을 조정한다.

[개정 2019.11.26] [[시행일 2020.2.27]][전문개정 2012.12.18]

제28조(이의신청)

① 대통령령으로 정하는 금액(국제입찰의 경우 제4조에 따른다) 이상의 정부조달계약 과정에서 해당 중앙관서의 장 또는 계약담당공무원의 다음 각 호의 어느 하나에 해당하는 행위로 불이익을 받은 자는 그 행위를 취소하거나 시정(是正)하기 위한 이의신청을 할 수 있다. [개정 2019.11.26] [[시행일 2020.5.27.]]

1. 제4조제1항의 국제입찰에 따른 정부조달계약의 범위와 관련된 사항

1의2. 제5조제3항에 따른 부당한 특약등과 관련된 사항

② 이의신청은 이의신청의 원인이 되는 행위가 있었던 날부터 15일 이내 또는 그 행위가 있음을 안 날부터 10일 이내에 해당 중앙관서의 장에게 하여야 한다.

③ 해당 중앙관서의 장은 이의신청을 받은 날부터 10일 이내에 심사하여 시정 등 필요한 조치를 하고 그 결과를 신청인에게 통지하여야 한다.

④ 제3항에 따른 조치에 이의가 있는 자는 통지를 받은 날부터 15일 이내에 제29조에 따른 국가계약분쟁조정위원회에 조정(調停)을 위한 재심(再審)을 청구할 수

제28조의2(분쟁해결방법의 합의)

① 각 중앙관서의 장 또는 계약담당공무원은 국가를 당사자로 하는 계약에서 발생하는 분쟁을 효율적으로 해결하기 위하여 계약을 체결하는 때에 계약당사자 간 분쟁의 해결방법을 정할 수 있다.

② 제1항에 따른 분쟁의 해결방법은 다음 각 호의 어느 하나 중 계약당사자 간 합의로 정한다.

1. 제29조에 따른 국가계약분쟁조정위원회의 조정
2. 「중재법」에 따른 중재

제29조(국가계약분쟁조정위원회)

① 국가를 당사자로 하는 계약에서 발생하는 분쟁을 심사·조정하게 하기 위하여 기획재정부에 국가계약분쟁조정위원회(이하 "위원회"라 한다)를 둔다. [개정 2017.12.19.] [[시행일 2018.3.20.]]

56. 10년 공임 질의 응답

10년 살고 그 때 감정가로 분양한다는 계약 조항은 신의칙에 위반한다. 모든 민법의 기본 원칙은 신의칙이다. 특히 시장 상황이 현저히 변동하여 주변 단지가 3-4배 가격 상승이 이뤄지는 상황에서 시세를 감정하여 분양하는 것은 불의한 제도다.

따라서 국가 계약 조항의 급격한 시장 변동에 따른 파기나 변경은 합리적인 것이다. 그러므로 정부가 10년 공임 정책을 왜 도입했는가 하는 정책 목표로 다시 돌아가서 서민들의 주거 안정과 소유가 목적이고 목표였다면 현재 입주한 세대들의 소득과 재산에 맞게 분양받아 소유하고 장기 거주할 수 있도록 가격을 결정하는 것이 합당하다.

다만 이는 전체 국가 주택 정책과 공조되어야 하는 특성을 가지고 있는 바, 기존의 영구 임대, 국민 임대, 장기 전세 등과의 형평성을 찾아야 하며, 특히 현재처럼 대한민국 역사상 가장 주택 가격이 폭등한 시점에서는 가격 안정의 차원에서의 대대적 공급이 필요한데 이를 기존 임대 아파트의 분양화 관점에서 접근해야 한다.

특히 현 정부의 20여 차례의 부동산 정책에도 불구하고 서울 등지의 아파트 가격이 폭등한 상황은 반드시 통제되어야 하고 문재인 대통령 이야기처럼 취임 초반으로 원상 복귀되어야 한다.

그러므로 아래의 사항들을 통해 대안을 찾고자 한다.

1) 입주 시 감정가 분양가가 지나치게 낮은 것인가

1-1) 아파트를 살 때 입주 전에 이미 가격이 결정된다. 따라서 입주 시 감정가로 사겠다는 것은 결코 지나치지 않다.

1-2) 지금 집값이 너무 올라서 우리들에게 1억이 작은 돈으로 보이나 이를 원금과 이자로 갚으려 한다면 대단히 부담되는 돈이다. 하물며 4-5억씩 대출을 받는 것은 소득 재산 제한에 걸

려온 세대들이 실질적으로 감당하기에 부담스러운 돈이다.

다만 전매 제한을 통해 과도한 차익 실현에 의한 시장 교란을 방지하면 되고, 주거 안정을 도모한다.

1-3) 초기엔 5년 분양 방식이나, 분양가 상한제 등이 효과를 발휘할 수 있었겠지만 이미 세곡푸르지오가 3억 5백 분양한 것이 12억 13억이 된 상황이라면 다 무의미한 상태다. 이젠 보다 적극적으로 입주 시 감정가로 분양받는 노력을 해야 하는데, 자곡 사거리에 대통령을 비판하는 현수막을 붙여 놓았다면 우리의 투쟁은 대통령을 향한 것이어야 하고, 따라서 이 문제는 대통령만이 해결할 수 있다면, 총선에서 10년 공임의 후보를 당선시키고 대선까지 내보내겠다는 결기를 가져야 한다.

2) 입주 목적이 프리미엄인가 아니면 주거인가

2-1) 이곳에서 아이들과 또는 부모님과 오랫동안 거주하려는 목적이 다면 34평 4억 5천만 원 분양가는 결코 소득 재산 제한을 통해 들어온 세대들에게 적지 않은 금액이다.

2-2) 프리미엄이 목적인 세대는 조기 분양을 받고 빨리 나가는 것이 상책이다.

2-3) 그러나 자녀들, 또는 부모님을 모시고 이곳에서 오래 살고자 하는 세대들은 세곡 푸르지오의 예를 볼 때 입주 시 감정가도 결코 적은 금액이 아니다. 푸르지오의 경우 30평 3억, 34평 3억 4천, 25평 2억 4천도 원금 이자를 제 때 갚지 못해 경매를 당하고 쫓겨나는 세대들이 생겨났고, 그 정도는 아니어도 이 비용을 갚기 위해 많은 세대들이 고통을 겪었다.

2-4) 장기 전세로 전환하는 것도 한 방법인데 이도 엘에이치에서는 4년 정도를 최대한 보장해주고 그 후엔 이를 분양하여 현금을 확보하려는 전략이기 때문에 결코 쉽지 않은 목표다.

3) 선거에서의 우리의 전략

3-1) 민주당이나 자한당이 승리한들 10년 공임은 소수이기 때문에 이를 위해서 당선 국회의원이 자신을 희생할 리 없다. 자곡동 4거리 집회에 왜 현직 의원이 참여하지 않았는가 생각해 보아야 한다. 래미안 힐즈 주민들은 7단지가 저렴하게 분양되는 것을 좋아하지 않는다. 집값이 하락하기 때문이다.

3-2) 따라서 이번 선거에서 철저히 10년 공임의 입주 시 감정가를 내세우는 후보를 지지함으로써, 또는 당선시킴으로써 결정적으로 민주당과 문재인 정부에 타격을 가하는 길이 향후 협상에서 보다 유리해진다.

4) 10년 공임 세대는 홀로 살아남으려 해선 안 되며, 홀로 이익을 챙겨 가려 해선 불의한 일이다. 지금 주택 가격 문제로 대다수 서민들이 고통을 겪고 있는 상황에서 또 우리 주변에 세곡동은 물론 수서 일원동 등에 영구 임대, 국민 임대 입주민들은 우리보다 더 큰 박탈감을 가지고 있는 바 이들과 함께 연대하여 문제를 풀려는 노력이 필요하다. 그렇게 해야만 우리의 문제도 풀 수 있다.

우리 홀로 살아남으려 하면 우리도 실패할 수밖에 없다.

5) 마키아벨리는 로마사론에서 약소국이 강대국이 침입을 받았을 때 취할 수 있는 길이 세 가지였다고 했다. 첫 번째는 더 큰 강대국의 도움을 받는 길, 둘째는 용병을 사는 일, 셋째는 스스로 단결하여 패하더라도 싸우는 길.

마키아벨리는 이태리 반도의 긴 역사를 보았을 때 살아남은 국가는 세 번째 길을 택한 곳들 밖에 없었다고 이야기한다. 첫 번째 방법을 쓴 나라들은 도움을 받은 더 큰 강대국에게 먹혔고 두 번째 방법은 용병들이 위기가 오면 도망가서 결국 패했다고 한다. 그런데 세 번째 방법은 독립 의식이 커져서 잠깐은 패배해도 결국 승리했다고 보았다.

민주당이나 자한당 같은 곳에 의지하는 것은 첫 번째, 두 번째 방법이다. 이들은 결국 부자들의 정당이다. 소수 서민들을 대변

할 리가 없다. 그것이 지난 투쟁에서 우리가 보아온 바이다. 따라서 아직도 우리가 그들에게 기대려한다면 이는 역사에서 교훈을 찾지 못한 것이다. 일례로 대모산 너머 구룡마을의 투쟁에서 보듯이 결국은 대부분 쫓겨나게 된다.

6) 조기 분양받은 많은 세대들이 원금과 이자를 제 때 갚지 못해, 3개월 연체 후 계약을 해지당하고 쫓겨날 가능성이 높다. 아예 지금 프리미엄을 받고 나가는 쪽이 오히려 현명하다. 그러나 이는 옳지 못하다. 나 홀로 살려 할 것이 아니라, 이 민족의 서민들이 겪고 있는 주택 관련 고통을 풀려는 의병이 되어야 한다.

일제의 침입 앞에서 스스로 일어난 의병들의 독립 투쟁처럼 우리도 같은 고통을 겪고 있는 영구 임대, 국민 임대, 장기 전세 세대들과 힘을 합하여 국회의원을 배출하고 대통령도 배출해야 한다. 그러면 우리가 원하는 정의로운 주택 정책을 마련하고 우리 후손들과 이곳에서 오래 오래 빚 부담 없이 살 수 있다!

57. 사촌이 땅을 사면 배가 아프다

사촌이 땅을 사면, 혹은 논을 사면 배가 아프다는 우리 속담의 원 뜻에 대해 여러 이야기가 있지만, 즉 사촌이 논을 샀으니 퇴비를 주려는 착한 마음이 있다는 뜻이기도 하고, 정말 시기심이 생겨서 배가 아프다로 일제가 우리 민족성을 폄하하려고 왜곡한 것이다는 말도 있는데 만약 후자라 한다면 우리 민족은 상당히 사회주의적이다.

그러나 인간 심성은 고래로 변화하지 않았다. 시기와 질투는 인간 세계의 큰 축이고, 자산 시장이나 소비 시장에서도 이는 주요 작동 요소다.

기업들도 마케팅에서 바로 이러한 선두 소비 세력을 이용하고 이 세력의 추종 세력이 뒤를 이어 소비하게 함으로써 매출을 증대하는 전략은 익히 알려진 것이다. 따라서 부동산 시장을 성공적으로 관리하려면 이런 개인들의 심리, 기업들의 상품 시장 마케팅도 잘 이해하고 있어야 한다.

58. 국토장관 지명자들의 합리적 부동산 투자

문재인 정부 중반에 국토교통부 장관 최정호 지명자의 부동산 투자는 국토교통부 최고 전문가로서 합리적 판단에 근거한 것으로 보인다.(김현미 장관을 대체할 후보자로 지명되었으나 실패했다. 그리고 이번에 변창흠 LH 사장을 대체 후보로 내세웠다)

분당의 상록 아파트 84m, 배우자 명의의 잠실 엘스 59m, 그리고 세종의 분양권. 게다가 분당 것은 다시 자녀에게 증여해서 재산 신고액은 줄었고, 월세까지 내어주니 또 증여가 된다. 묘수다.

대한민국의 대체로의 고소득 전문가들은 이런 식으로 부동산을 보유한다. 대한민국 상황에서 이리 저리 근무지를 이동하게 되고, 또 자녀들에게 물려준다고 생각하면 무리한 투기라고는 볼 수 없다. 또 이 대열에 합류하지 않으면 결코 다시 거기에 올라탈 수 없게 된다는 불안감도 크다. 그러니 합리적이다.

그런데 바로 여기에서 문제가 시작된다. 개인적으로는 합리적으로 하지만 이것들이 모여서 보면 아주 불합리한 결과가 도출된다. 이것이 바로 현재 한국의 부동산 투기 양상이다. 강남 일대에서 이런 행위를 할 수 있는 사람들은 10% 정도일 것이다. 그래서 많은 서민들이 박탈감을 크게 느낀다.

이것을 해결할 수 있는 방법은 지대조세제에 따른 세금 정책이 아니다. 세입자에게 전가된다.

국가의 막대한 임대 아파트 보유다. 누구도 어떤 사람도 자신을 위해서나 자녀를 위해서, 근무지 이동으로 인한 불편 해소를 위해 여러 아파트를 보유해야 할 필요가 없게 만드는 국가 설계가 필요하다. 아파트를 보유할 필요도 없고, 보유할 시 오히려 임대보다 더 큰 손실이 있게 만드는 구조, 그리고 아예 살 물건도 없게 만드는 정책이 필요하다.

외국인들이 틈새로 들어와서 사게 놓아두어서도 안 된다. 대한민국은 민주공화국이다. 공화는 무엇을 의미하는가? 공공재의 공유만이 공화를 달성할 수 있는 유일한 길이다.

주택은 사유재인가 아니면 공공재인가? 공공재로 가지 않는 한 답이 나올 수 없다. 따라서 국가가 소유하고 개인은 필요에 따라 사용하면 된다. 이 구조를 만들어내는 것이 주택 분야의 영구평화를 가져오는 길이다. 만인의 만인에 대한 투쟁이 계속 되서는 안 된다. 은행과 투기자, 그리고 세금 정책이 빚어낸 기형을 끝내야 한다.

최정호 지명자는 김현미 장관의 말을 듣지 않았다. 다주택자들에게 주택을 팔라 했지만 그는 팔지 않고 있었다. 어떤 정책을 실현하고자 할 때 시뮬레이션이 되어야 한다.

차기 국토장관이 될 사람, 국토 분야의 전문가도 듣지 않을 정책을 김현미 장관이 실행하고 있었다. 그저 요행을 바라면서. 최정호 지명자는 장관 지명이 되지 않았으면 이 집들 구조 조정을 언제 했을까? 국토부 공무원들은 최 지명자를 대단히 환영한다고 보도되었다. 결국 같은 무리들이라고 볼 수 있다. 이런 사람들이 어떻게 근본적으로 한국 사회의 부동산 문제를 해결할 수 있을까!

부동산 소유는 교육과도 밀접한 관련이 있고, 사회적 신분 상승과 관계 유지, 과시성과도 같이 간다. 헬 조선을 끝내고, 모두가 자기 능력을 최대한 발휘하여 이 사회와 세계에 기여하도록 만드는 헌법 정신이 발현되는 대한민국을 정밀하게 만들어내야 한다.

두바이의 버즈 알 아랍 호텔 하나를 세우는 데도 많은 위험 요소를 해소해야 했다. 국가는 정밀하게 설계되어야 한다. 그렇지 않으면 결국 무너져버린다.

어떤 정책을 실천할 때 가져올 부작용, 역작용 등이 계산되어야 한다. 최저 임금, 부동산 정책 등이 건물 세우는 것보다 더 공학적으로 시뮬레이션 되어야 한다.

전 국민이다 주택을 보유할 수도 없다. 이미 빚으로 고생하고 있는 무주택 서민들이 많은데 어떻게 이렇게 만들 수도 없고, 특히 강남 등지의 주택을 갖게 할 수도 없다. 이미 주택 가격은 폭등할 대로 폭등한 상태다.

그런데 누군가가 많이 보유하면 투기라 한다. 특히 강남 등지에. 이 문제를 다 해결할 묘책이 존재한다. 부동산 펀드 등이 요즘 인기다. 그런데 이것도 문제다. 결국 여유 자금이 있는 사람들만의 공유가 되기 때문이다.

전 국민이 중요 주택을 공유할 수 있는 방법이 있다. 전 국민이 거의 의무적으로 내야 하는 것이 국민 연금이다. 이를 활용하면 된다. 런던에 빌딩도 사들이는데, 이제 국민 연금이 점진적으로 강남 등지의 아파트들을 싹쓸이해가야 한다.

개인들이 다주택을 보유하는 것에는 패널티를 심하게 주고, 국민연금 만에 혜택을 주어야 한다. 그러면 5년 정도면 주요 주택들을 다 장악할 수 있다고 본다. 강남에 살아야 할 이유가 있다면 국민 연금 소유 아파트에 시장 가격으로 형성된 월세나 전세로 입주하면 된다. 현행처럼 2년 계약 방식으로 하면 된다. 거래도 공인 중개사를 이용하면 된다.

누군가는 투기를 할 수 밖에 없는 구조다. 오직 국가만이 부동산에 투기할 수 있는 시스템을 만들고, 국민들은 자신들의 능력개발과 저축, 기업 활동, 직장 생활 그리고 금융 투자를 하면 된다.

이렇게 되면 부동산 투기로 몰려갔던 자금들이 훨씬 더 생산적인 방향으로 흐르게 되고, 대다수 서민들의 주거비용은 획기적으로 낮추어지게 된다.

이제 국민 연금이 나서야 한다. 강남의 최대 투기자로. 이렇게 되면 강남을 중심으로 한 교육 문제, 사교육 문제도 해결되어질 것으로 보인다. 굳이 강남에 아파트를 살 이유도 거기에만 살아야 할 이유도 훨씬 줄어든다. 그리고 정부는 균형 발전을 도모해가면 된다. 점차 대한민국은 헬 조선에서 벗어나 천국으로 변해갈 것이다.

조선민주주의 인민 공화국이나 중화인민 공화국보다 훨씬 더 나은 체제가 되어 대한민국은 진정한 민주공화국으로서 동북아의 주도권을 잡아갈 것이다.

왜냐하면 교육열이 높은 대한민국은 지식 국가가 될 것이고, 생산성이 높아져서 국부가 증대될 것이기 때문이다. 일본 정도는 가볍게 넘어설 것이다. 유럽이나 미국에도 모델이 될 것이다. 이런 정도로 부동산 문제와 사회적 문제를 동시에 해결한 국가는 아직 세계에 없기 때문이다.

공공 분양을 해본들 얼마 지나지 않아서 서민들은 다시 그 주택을 보유할 수 없을 정도로 곤경에 빠지는 경우가 많다. 이제 LH 도 아예 임대 정책으로만 가야 한다. 대신 전월세 가격을 시장 가격으로 가져가도 된다. 일부의 극빈층을 위한 영구 임대를 제외하곤.

이번엔 새롭게 지명된 변창흠 후보자는 임대아파트, 토지임대부 등을 강조하고, 기고문 등을 보면 이론적 뒷받침을 강조한다. 그리고 역시 지대조세론자들과 함께 하는 점이 많다.

그러면서 변 후보자는 모두가 살 길이 아니라 자신의 가족이 살 길을 찾아서 서초구에 보금자리론까지 대출받아 주택을 구입했다. 다른 곳도 아니고 서초구에.

그러면서 서민들을 향해선 임대아파트를 이야기한다. 이런 자들이 국토 정책을 책임져선 안 된다. 자신도 샀으면 서민도 사게 해야 한다.

그럴 생각이 없으면 국토장관을 해선 안 된다. 다산 정약용 선생께서는 함부로 수령되길 구하지 말라 하셨다. 서민들의 삶에 너무 많은 영향을 미치기 때문이다.

국토장관은 이 땅의 서민들의 삶에 너무 큰 영향을 미친다. 공평하지 못하고 자신보다 백성을 생각하지 않는 사람이 그 자리에 앉아선 안 된다.

다산은 수령의 밥상 반찬 가짓수까지 규제하셨다. 가난한 백성이 수령의 밥상 반찬을 보고 상처를 받으면 하늘을 향해 원망할 것이고 그럼 하늘이 이 수령에게 진노할 것이라 하셨다.

다산은 수령의 아버지 생신 잔치도 베풀어선 안 된다고 하셨다. 수령이 효심에 의해서 하는 행동일지라도 일반 백성들 눈엔 자신의 가족만 챙기는 그 수령을 향해 원망하게 되고 그 원망이 하늘에 닿아 저주가 내릴 것이기 때문이라고 하셨다.

서민들은 임대아파트로, 전월세로 내몰면서 자신과 가족을 위해선 서초구에 좋고 넓은 주택을 확보하고 있다면 백성들은 그를 저주할 것이고 그 저주는 하늘에서 응답될 것이다.

나는 2005년에 큰 아이가 대청중학교로 전학해서 왔을 때, 집을 사자는 것을 거절했다. 다 강남에 집을 사면 어떻게 되겠느냐고. 내가 전세 살던 집주인조차 나에게 왜 집을 사지 않느냐고 했다. 강남의 집값은 그 사이에 5배를 넘게 오른 곳들도 있다.

나는 정부 정책을 믿고 기다렸다. 그래서 1994년부터 넣었던 청약저축을 통해 세곡동에 입주했다. 왜 변창흠 후보자는 청약저축을 사용하지 않았는가! 정부의 주택 정책에 순응하지 않는 사람이 국토장관이 되어선 안 된다.

대한민국에서 아파트는 단순한 주거 공간이 아니다. 투자 대상이고, 부의 과시물이며, 평판의 근거가 되고, 아이들을 가르는 기준이 된다.

이런 것을 누가 만들었는가! 정치인들과 부자들이 만들어냈고, 서민들은 그 피해자가 되었다. 이 대열에서 많은 이득을 보고, SH 사장을 거쳐, LH 사장을 지내면서 대안도 마련하지 못한 사람을 국토부 장관으로 지명한 문재인 대통령은 일관된 분이다. 17년 집권 이후 일관되게 부동산 시장을 힘들게 하다가 그 문제 유발자 중의 한 명을 또 국토장관으로 임명했으니 참으로 일관되다.

세살 버릇이 여든까지 간다는 말씀은 진리이다.

이제라도 대통령은 스스로 임대아파트로 퇴임 후 돌아갈 길을 찾아야 한다. 전직 두 대통령이 2평짜리 임대아파트로 가 계신다. 하늘이 진노하셨다고 본다.

청와대에서 살다가 나오면 이렇게 불행한 일들이 반복되는 이유는 하늘의 진노에 있다.
대통령도 양산에 저택을 마련할 일이 아니라, 임대아파트를 찾아서 퇴임 후 거주해야 한다. 서민들에겐 임대아파트도 괜찮다고 하면서 왜 자신들은 거기를 피하는가!

솔선수범해야 한다. 예수님은 그렇게 하셨다. 문재인 대통령도 천주교 신자이니 예수님을 믿는다면 그렇게 해야 한다.
예수님은 만왕의 왕이시다. 만왕의 왕이신 예수님은 머리 둘 곳도 없이 사시다가 십자가에서 돌아가셨다.
대한민국의 대통령이 임대아파트로, 퇴임 후 이사하는 모습이 실현되길 간절히 소망한다. 퇴임 후 감옥으로 가는 것보다는 백 번 좋아 보이는 모습이다.
그리고 국토부장관은 반드시 임대아파트 거주자 중에서만 찾아야 한다.
나는 나의 아파트들을 팔면서 모든 국민이 집을 소유하기 전에는 다시는 집을 사지 않겠다고 다짐했다. 그리고 그 길을 찾았다. 국민연금의 주택 소유.
대통령이나 주요 주택 정책을 수행하는 자들은 바로 이런 각오를 가진 사람들만이 되어야 한다.

59. 국토위 LH 감사에서 보이는 한 문제점

2019년 국토위의 LH 감사 관련 동영상을 반복적으로 보면 여러 문제가 보입니다.

위 동영상에서 34분경에 보면 박상우 사장(변창흠 사장 전임)이 나와서 답변을 하는데요. 10년 공임이 52500, 매입임대가 16000, 그리고 민간 임대가 7만, 그 중 3만 정도가 분양되었다고 합니다. 그런데 그가 주장하는 바는 민법과 상법상 이미 감정가로 한다고 계약이 상호간에 되어 있기 때문에 바꿀 수 없으나 이사회 등과 협의하여 방안을 찾겠다고 합니다. 파주 윤후덕 의원의 질문에 대한 답이었는데요, 그럼 감정가를 80% 내외로 하겠느냐고 하니까 상식적으로 그 정도가 될 거라고 답합니다.

그러자 다시 공공임대 연합회장에게 질문이 되고 그는 매입 임대에서 95%의 감정가로 분양되었다고 이야기합니다.

처음 질문을 시작하신 분이 정동영 의원이십니다. 아주 우호적으로 김동령 회장에게 질문을 합니다. 그런데 이 동영상 전체에서 놀라운 것이 발견되는데 감정가와 관련해서 민법과 상법이지만 법령을 이야기하는 사람은 오직 박상우 사장 밖에 없다는 점입니다. 정동영, 민홍철, 함진규, 전현희, 이우현, 윤후덕 의원들이 등장하고, 공공임대 연합회장도 여러 차례 감정가로 분양되는 것의 부당함을 이야기하지만 그 근거 조항인 법령 등을 거론하지 않습니다. 모두 LH의 문제인 듯 이야기합니다.

더 좀 놀라운 것은 박상우 사장이 10년 임대가 노무현 정부, 참여 정부 시절 2006년에 만들어졌다는 말을 합니다. 정동영 의원은 열린우리당 의장이었습니다. 2006년 초에요 당시 사회를 보고 있는 조정식 위원장은 국토위원장을 거쳐 이제는 더불어민주당 정책위의장이 됩니다 위에서 보았던 또 다른 동영상에서 문재인 대통령은 김병관의원 선거 유세를 도우면서 당의 정책으로 가져가겠다고 이야기합니다. 그런데 지금 문제가 되는 원천 조항이 대통령령입니다. 그 연설에 은수미 성남시장도 보입니다. 가장 문제가 되는 판교나 강남의 구의원 시의원부터 시장, 국회의원, 구청장, 대통령까지 모두 더불어민주당 사람들이 들어가 있습니다. 왜 민주당이 나서지 않으면서 lh에 책임을 떠넘기고 있을까요? 특히 대통령은 남아일언 중천금을 지키지 않으면서요?

전현희 의원도 등장하는데 공임연합회장과 부진정 소급효 이야기가 오고 갑니다. 이미 계약서가 감정가로 하기로 되어 있는데 그것을 어떻게 바꿀 수 있느냐 하는 문제로 질문과 답변을 이어 갑니다.

민주당이 주도해서 법을 만들었고, 지금 대통령도 그 당시에 책임이 있고, 그런데 lh 탓만 하고 있는 민주당 의원들이 참으로 한심해보입니다.

박상우 사장이 여기서 또 아주 중요한 이야기를 하는데요. 왜 10년 임대 방식에서 감정가로 한다는 계약서 조항을 넣었는가 하는 점입니다. 민간도 참여하고 있었기에 그들에게 사업 유인을 제공하고자 했다고 합니다.

이로 추측해보건대 감정가 조항을 주도적으로 법에 넣은 것은 국토부였고, 이를 심사했던 국회의원들은 그 문제점을 제대로 인식하지 못했다는 점입니다. 박상우 사장이 위 동영상에서 이야기하는 것처럼 참여정부가 아파트 공급을 늘리기 위해 기존 5년 임대에 10년 임대를 더 만들어서 민간도 참여를 유도하려고 적정 사업성을 만들어주려 10년 후 감정가 조항을 넣었던 것입니다.

불의하고 문제점이 많은 법이 만들어지고, 그 후에 거기에 기준해서 최대 이익을 보장해주는 사업들이 계약서에 첨부되고, 입주민들은 이미 도장을 찍은 후인데 가격 결정 방식을 바꾸어 달라고 하고, 분양 기업들은 계약서대로 할 수 밖에 없다고 하고, 국회의원들은 좀 봐줘라 하고, 대통령은 그것이 부당하니 도와주겠다고 했다가 나 몰라라 하고 입니다.

이전에도 말씀드렸지만, 불의한 법을 깨버리는 것, 그 법 자체가 문제가 많다는 점을 법적으로 판결로 받아버린 다음에 투쟁하지 않고서는 이 싸움은 그들의 프레임에 말린 싸움입니다. 이제 국토부는 자신들이 만들었던 불의한 법을 살짝 바꾸려고 합니다. 그렇게 놓아두어선 안 됩니다. 스스로 퇴로를 확보하는 길입니다. 그 법이 부당했다는 것을 법적으로 인정받는 길이 그래서 아주 중요했던 것입니다.

60. 10년 공공임대 관련법의 문제

주거기본법과 10년 공임 분양가 산정 문제의 충돌 문제를 살펴보아야 한다고 전문가들이 이야기하고 있습니다.

주거기본법

제1조(목적)

이 법은 주거복지 등 주거정책의 수립·추진 등에 관한 사항을 정하고 주거권을 보장함으로써 국민의 주거안정과 주거수준의 향상에 이바지하는 것을 목적으로 한다.

제2조(주거권)

국민은 관계 법령 및 조례로 정하는 바에 따라 물리적·사회적 위험으로부터 벗어나 쾌적하고 안정적인 주거환경에서 인간다운 주거생활을 할 권리를 갖는다.

주거기본법

제4조(다른 법률과의 관계)

국가는 주거정책에 관한 다른 법률을 제정하거나 개정하는 경우에는 이 법에 부합하도록 하여야 한다.

주택법의 문제와 헌법상 주거권 조항의 빈약성 문제로 인해 주거기본법이 만들어졌는데, 10년 공임 문제를 그대로 방치하고 온 관계부처들은 모두 직무유기에 해당한다고 볼 수 있습니다. 10년 임대 방식의 분양 전환 시 감정가 조항은 명도 소송을 유발할 가능성이 현저히 높아서 주거 기본법과 상치되어서 4조 주거 정책에 관한 다른 법률을 제정하거나 개정하는 경우에 주거 기본법에 부합하도록 한 법을 위반하고 있고, 이번에 내놓은 개정안도 마찬가지입니다.

주거기본법 8조에는 주거정책심의위원회에 관한 사항이 나오는데요. 그 위원에 관한 아래 사항을 보면 국토부장관과 엘에치사장이 명시되고 있습니다.

② 제1항에 따른 위원회는 위원장 1명을 포함하여 25명 이내의 위원으로 구성한다.

③ 위원장은 국토교통부장관이 되고, 위원은 다음 각 호의 사람으로 한다.

1. 대통령령으로 정하는 관계 중앙행정기관의 차관급 공무원
2. 해당 택지개발지구를 관할하는 시·도지사(제1항제3호의 사항을 심의하는 경우에 한정한다)
3. 한국토지주택공사의 사장
4. 「주택도시기금법」에 따른 주택도시보증공사의 사장

한국토지주택공사법 제23조(감독)

국토교통부장관은 공사의 업무 중 다음 각 호의 어느 하나에 해당하는 사항에 대하여 지도·감독한다. [개정 2012.12.18, 2013.3.23 제11690호(정부조직법)]

1. 사업실적 및 결산에 관한 사항
2. 제8조제1항에 따른 사업의 적정한 수행에 관한 사항
3. 이 법에 따라 국토교통부장관이 공사에 위탁한 사업에 관한 사항

4. 그 밖에 관계 법령 및 정관으로 정하는 사항

별표7 공공건설임대주택 분양전환가격의 산정기준(제26조제1호, 제29조, 제40조 관련)

1. 분양전환가격의 산제26조 제1호,정제
가. 임대의무기간이 10년인 경우 분양전환가격은 감정평가금액을 초과할 수 없다.

나. 임대의무기간이 5년인 경우 분양전환가격은 건설원가와 감정평가금액을 산술평균한 가액으로 하되, 공공임대주택의 건축비 및 택지비를 기준으로 분양전환 당시에 산정한 해당 주택의 가격(이하 "산정가격"이라 한다)에서 임대기간 중의 감가상각비(최초 입주자 모집 공고 당시의 주택가격을 기준으로 산정한다)를 뺀 금액을 초과할 수 없다.

공공주택특별법 시행규칙
제40조(공공건설임대주택의 분양전환가격 산정기준)
영 제54조제4항 및 제56조제7항에 따른 공공건설임대주택의 분양전환가격 산정기준은 별표 7과 같다. 다만, 분납임대주택의 경우에는 별표 8과 같다.

공공주택특별법 제50조의3(공공임대주택의 우선 분양전환)
① 공공주택사업자는 임대 후 분양전환을 할 목적으로 건설한 공공건설임대주택을 임대의무기간이 지난 후 분양전환하는 경우에는 분양전환 당시까지 거주한 무주택자, 국가기관 또는 법인으로서 대통령령으

로 정한 임차인에게 우선 분양전환하여야 한다. 이 경우 분양전환의 방법·절차 등에 관하여 필요한 사항은 대통령령으로 정한다.

헌법까지 가지 않더라도 10년 공임의 분양가 산정 기준은 대통령령도 아니고 그 밑의 시행령 규칙에 별표로 나오는 정도입니다. 그런데 주거기본법과 상치되는 행위, 민법 전체의 법적 안정성과 상치되는 내용, 신의성실의 원칙에도 위반되는 개규칙을 만든 것임을 알 수 있습니다.

최근 발표한 국토부 안은 참으로 허접하기 이를 데 없고, 대한민국 정부 관리들의 지적 수준을 의심하게 하는 내용입니다. 그들이 주장한 두 가지 핵심은 이미 3만5천 세대를 분양 완료해서 형평성의 문제와 또 한 가지는 기존 법에 어긋난다고 하는 것인데요. 둘 다 참으로 논리적, 법적 지식수준을 의심케 하는 내용입니다. 숭실대 교수님도 이런 부분을 이미 지적하셨는데요.

법률 제 7051호 2003년 12월 31일 제정된 공공주택특별법 시행규칙 별표에 나오는 것임을 알 수 있습니다. 이때는 누가 집권했던 때인가요? 주거기본법은 법률 제133785. 2015년 6.22일 제정된 것으로 누가 집권했을 때인가요? 저는 지지난 대선에서 문재인 후보에 표를 드렸지만,, 지난 대선에서는 그렇지 않았습니다

노무현전대통령 집권 기간이 2003.2-2008.2이고, 이명박전대통령은 2008.2-2013.2, 박근혜전대통령은

2013.2-2017.3.10입니다.

문재인대통령은 이 기간에 어떤 활동을 하셨을까요?

(2017.5 제19대 대한민국 대통령)

2015.12 ~ 2016.1 더불어민주당 당대표

2015.2 ~ 2015.12 새정치민주연합 당대표

2012.5 ~ 2016.5 제19대 국회의원

2011.12 민주통합당 상임고문

2011 혁신과 통합 상임대표

2010.8 ~ 2012.4 사람사는세상 노무현재단 이사장

2009.9 ~ 2010.8 사람사는세상 노무현재단 상임이사

2007.8 제2차 남북정상회담 추진위원회 위원장

2007.3 ~ 2008.2 대통령비서실 실장

2005.1 ~ 2006.5 대통령비서실 민정수석비서관

2004.5 ~ 2005.1 대통령비서실 시민사회수석비서관

2003 ~ 2004.2 대통령비서실 민정수석비서관

2001 ~ 2003 부산시교육청 행정심판위원

2006년에 제정된 악한 규칙을 만든 자들이 노무현 정부 당시 관리들이었고, 이후 이를 이명박 박근혜 정부에서도 고치지 않았고, 이제는 부동산 가격이 폭등한 상태에서 다시 누더기 규칙을 만들어서 보완하겠다고 하는 자들이 문재인 정부 관리들입니다.

자본주의 사회에서 가장 비싼 상품인 주택을 가격이 결정되지 않은 상태에서 구매하도록 한 공공주택특별법은 그 자체로 악법

이고 법 자체라고도 할 수 없는 수준입니다. 그 하위 규칙은 더욱더 그렇고요. 서민 주거와 관련해서 헌법, 주거기본법, 공공주택특별법 세 가지가 존재하는데, 우리를 괴롭히는 이 시행 규칙, 분양가산정을 이렇게 엉터리로 규정하고 있었던 것이고, 이를 15년간 방치해왔고, 그렇게 많은 집회가 이루어졌어도 꿈쩍도 하지 않다고 내놓은 안이 수분양 포기 시 4년 연장, 8년 연장, 그리고 저금리 지원 등입니다.

어떻게 이렇게 장기간의 코미디가 가능했을까 의문이 듭니다.

더 코미디인 것은 같은 법에서 5년 분양의 분양가 산정 시 은행 정기예금 평균 금리를 운운하고 있다는 것이고, 올해 서울의 아파트 가격 상승률이 10.%가 넘었다는 것인데요. 여기서 적용하는 기준, 저기서 적용하는 기준이 다른 것들을 동일한 법에 가지고 있다는 것입니다. 이 법이 통과된 것은 국회이니 법사위부터 우스운 자들이고, 그 법이 먼저 통과된 국토위는 말할 것도 없습니다.

토지 수용 시에도 10년 공임 자리는 분양 시 감정가 이하 조항을 넣었어야 토지를 몰수당한 사람들에게 공평한 법입니다. 토지 수용 시에는 당시 가격으로, 10년 후 분 양시에는 10년 후 가격으로. 놀부와 스쿠루지도 이런 짓은 못할 것으로 보입니다.

그러면 상황이 이런데 우리가 왜 여론의 지지를 받는 데서 크게 성공하고 있지 못할까요? 주택시장에서 우리보다 더 큰 피해자들이 더 다수로 존재하고 있는 구조 때문이라고 전문가들은 말합니다.
우리는 한편으로는 피해자이지만, 우리보다 더 열악한 형편에 있는 주거약자들 입장에서는 수혜자로 보이기 때문입니다.
그간 위의 조항들로 대책위에서 공정거래위에 제소하거나 감사원 감사를 청구하신 적이 있으신가요?
공정위 제소도 추진되어야 한다고 이야기하는 분들이 있습니다. 아울러 검찰에 고발하는 것도 필요하다고 말하는 분들도 있습니다. 저들도 여러 대책회의를 했을 것이고, 그 문건들이 압수 수색되어야 한다고 이야기합니다. 그러면 그들의 직무유기, 사기적 행위 등도 드러날 것이라고 보고 있습니다.
문재인 정부 초기 부동산 가격 폭등 시에 저들의 여러 회의가 있었을 것이고, 그 당시에 오고간 관련 당사자들의 대화가 압수수색되어야 한다고 이야기하는 분들이 있습니다.
아파트 가격이 폭등하면 이익을 보는 집단이 있는데,,정부는 세금으로, 은행은 이자로, 엘에이치는 10년공임분양으로 부채해결, 그리고 이 부채해결은 정부에도 도움이 됩니다. 여러 건설사들도 혜택이 많고, 임대주택사업자들도 혜택이, 그리고 피해는 무주택 서민들과 10년 공임, 그리고 비수도권 거주자들입니다.
정부 고위 공직자의 50%정도가 강남 일대에 아파트를 소유한 것으로 나왔는데요. 프랭클린이 그 자서전에서 정책 결정자가 자기 이익에 반하는 정책을 결정하진 않는다고 얘기했습니다.
이정우 교수와 김수현 정책실장이 우리 문제와 깊은 연관이 있습니다.

2018.8 제4대 한국장학재단 이사장

2005 한국경제발전학회 명예회장

2005 경북대학교 경제통상학부 명예교수

2005 한국경제발전학회 명예회장

2003 ~ 2004 대통령 정책실장

2003 ~ 2006.11 노무현대통령 정책특별보좌관

2003 ~ 2005 대통령자문 정책기획위원회 위원장

1993 경북대학교 경제통상학부 경제학전공 교수

2018.11 대통령비서실 정책실장

2017.5 ~ 2018.11 대통령비서실 사회수석

2014.8 ~ 2017.2 제14대 서울연구원 원장

2008.3 세종대학교 대학원 교수

2007.9 ~ 2008.2 환경부 차관

2006.2 ~ 2007.9 대통령비서실 사회정책비서관

2005.6 ~ 2006.2 대통령비서실 국민경제비서관

2005 ~ 2006.2 국민경제자문회의 사무차장

2003 대통령자문정책기획위원회 국민통합분과 복지보건위원

2003 대통령비서실 빈부격차완화, 차별시정기획단 기획운영실장

2001.8 ~ 2002.12 서울시정개발연구원 도시사회연구부 부장

1994 ~ 1999.5 한국도시연구소 연구부 부장

그런데 최근 김수현 실장이 임명될 때 이정우 전 정책실장이

반대의견을 표명했는데요. 경제전문가가 아니라는 이유였습니다. 이정우 교수는 토지공개념 관련 전문가인데요, 바로 이 정책을 노무현정부에서 주관했고, 주택 정책도 그렇게 만들어갔는데, 여기에 헨리조지의 지대조세제론이 끼어들었고, 김수현 실장도 그 신봉자로 알려져 있습니다.

이들은 부자가 아파트들을 장악하는 것에 거부감이 없습니다. 오히려 그들이 장악하고 그들에게서 세금을 거두면 모든 문제가 해결된다고 보고 있습니다. 임대주택사업자 우대 정책도 이와 무관치 않습니다. 이들은 우리가 분양받지 못하는 문제에 대해 큰 고민이 없어 보입니다.

돈 많은 사람들에게 넘어가도 되고, 그들에게서 세금을 거두면 된다고 보기 때문입니다. 이런 여러 조건 속에서 우리의 투쟁이 이루어지고 있습니다. 그런데 바로 여기에서 판교의 전략이 말린 감이 있습니다. 그들이 원하는 데로 판교 투쟁이 진행되었기 때문입니다.

네! 이제 좀 정리하겠습니다. 전문가들의 조언은 다음과 같습니다. 투쟁 방식이 변화되어야 합니다. 그들이 짜놓은 프레임 속에서 아무리 싸워도 승리할 수 없습니다. 5년 방식 전환 요구나 분양가 산정 방식 변환 요구 투쟁은 그런 방식입니다. 집회를 이어가야 하지만, 집회 구호도 바뀌어야 합니다.

그들에게 사정하는 방식의 투쟁이 아니라, 그들을 범죄자로 몰아가는 형사 투쟁이 되어야 합니다. 그래서 검찰 고발이 필요합니다. 위헌 소송과 탄핵까지도 염두에 두어야 합니다. 여기에서 위에 열거한 것과 관련하여 여러 법적 자문을 받아야 합니다. 세월호 투쟁은 결국 탄핵으로 승리를 마무리했습니다.

그리고 우리보다 나은 사람들에게 도움을 받는 투쟁은 승리할 수 없습니다. 김병관의원 등의 힘을 얻으려는 것이 잘못된 방식이었습니다. 오히려 청년, 무주택자, 주거 약자들과 연대할 방법을 찾아내야 합니다.

그리고 우리가 저렴하게 분양받아 우리의 문제를 끝내려는 방식은 결코 승리할 수 없는 구조 가운데 있습니다. 오히려 우리가 희생하면서 대한민국의 주거 불의 문제를 해결하는 선구자, 독립운동가가 되려는 방식만이 우리의 문제도 풀고, 대한민국 주거 약자들의 문제를 동시에 풀어낼 수 있습니다.

모든 운동의 초점을 집값 하락, 주거비용 하락, 주거 안정에 두어야 하는 이유입니다. 집값이 30% 정도 하락하면 우리의 투쟁은 승리한 것이 됩니다. 5년 분양 방식 전환이나 분양가 산정방식 전환 이상의 효과를 거둘 수 있기 때문입니다. 명도 소송으로 쫓겨날 위기로 모는 법은 주거기본법의 주거 안정에 대한 주거 기본권을 크게 침해하며 주거기본법에 대한 위반입니다.

4대강 사업으로 지탄을 받는 이명박 정부는 반값아파트 정책으로 노무현 정부의 부동산 폭등을 잡았습니다. 아이러니입니다. 우리의 운동이 강남 아파트가격 50% 하락 운동에 초점을 두어야 한다고 봅니다. 그러면 여러 주택 약자들의 힘을 얻을 수 있고, 30% 정도만 하락해도 우리도 쉽게 분양 받게 됩니다.

강남과 서울 아파트의 비정상적 가격의 정상화, 이것이 우리

투쟁의 구호가 되어야 한다고 조언을 받습니다. 그들이 만들어 놓은 법은 상위법을 통해 무력화시키는 법적 투쟁과, 집회는 위의 구호로 주거 약자들을 끌어들여 정책 투쟁으로 이어져야 합니다.

이이제이로 다양한 정치 세력도 활용해야 합니다. 자한당도, 정의당도 활용해야 합니다. 바른미래나 평화당도 마찬가지입니다. 대한민국의 고질적인 주거비용 문제를 끝장내는 역사적인 사명을 10년 공임 세대 분들이 해내실 수 있다고 확신합니다.

문재인대통령에게 청원하고 사정하는 것을 넘어서 문재인대통령 탄핵 운동까지 고려해야 합니다. 세월호로 죽어간 400여명보다 지금 아파트값 폭등으로 인해 겪는 희생자가 더 많고, 서민들의 집단적 고통은 심해졌기 때문입니다. 주택정책은 국가정책 중 가장 중요한 정책입니다.

노무현 정부에서 주요 직책을 맡았고, 김수현 수석을 다시 정책실장으로, 김현미 장관을 국토장관으로, 그리고 지금의 모든 주택 문제 난맥상의 최종 책임은 대통령에게 있습니다. 대한민국 역사상 최악의 부동산 투기가 지난 2년간 문재인 대통령 출범 초기에 벌어졌습니다. 핵심을 피하면 답이 없습니다.

우리를 분양 공포로 몰아넣은 그 조항은 바로 공공주택특별법 시행령 40조 별표 7임을 잊지 말아야 합니다. 대통령의 문제입니다.

2013년 대선 때 문재인 후보에 표를 드렸습니다. 2017 대선 때는 그렇지 않았습니다. 신뢰할 수 없었습니다. 그리고 지난 4

월 10년 공임 청와대 행진 날, 비가 오던 날, 어린 아이들이 청와대 앞까지 가서 돌아오던 날, 그가 나와 보지도 않던 것에 제 판단이 옳았음을 확인했습니다.

청와대에서 키우는 개들을 쓰다듬어 주던 그 손으로 비를 맞으면서 온 아이들의 머리를 만져주면서 방법을 찾아보자고 했다면 그를 신뢰했을 것입니다. 모든 권력은 국민으로부터 나옵니다. 그리고 하늘은 이 모든 일을 보고 계십니다. 청와대 개만도 못한 취급을 받는 아이들을 보면서 다짐했습니다.

이 아이들이 자랐을 때, 그리고 그들의 아이들이 또 자라서 결혼할 때 결단코 주거 문제로 고통 받지 않는 나라가 되어야 한다고 다짐했습니다. 우리 10년 공임은 역사적 소명 가운데 있다고 봅니다. 우리의 문제를 해결하면서 대한민국의 긴 역사를 바꾸어내는 소명이 있다고 봅니다. 힘내십시오. 하늘이 도우시리라 확신합니다.

대통령이 반성하시고 공공주택특별법 대통령령 제 40조를 바꾸시든지, 아니면 대통령직에서 물러나시든지 둘 중 하나를 해야 한다고 봅니다.

공공주택 특별법 시행령 대통령령 제29359호 일부개정 2018. 12.11. 시행규칙 제 40조 별표 7을 문재인 대통령이 반드시 바꾸시게 되길 바랍니다.

문재인 대통령의 최대 치적인 남북관계 개선도 코미디입니다. 남북이 분단되게 된 근원이 조선말의 서민 착취에 있습니다. 지금 남한의 서민들을 이렇게 힘들게 만들어놓고 북한과 관계 개선을 하려한다는 것은 비극입니다. 김정은을 만날 시간을 쪼개서 10년 공임 대표자들을 만나주셨어야 남북 관계 개선 노력도 의미가 있습니다.

한마디로 정의하면 주택 소유를 갈구하는 서민들을 상대로 노무현 정부가 벌인 불완전 분양이 10년 공공임대였습니다. 그리고 그 뒤 정부들도 방치한 공범자들이고, 문재인 정부는 그 사기 액수를 최대치로 만들어낸 최악의 정부라고 할 수 있습니다.

제7장

61. 토지 소유 주체가 국가인가 국민인가

사회주의는 국가가 토지 소유 주체이고, 자본주의는 국민인가? 그렇지 않다. 사회주의는 국가가 토지 소유 주체라고 하는데 그것이 아니고 공산당 등 일부 집권 독재 세력이 소유 주체이다.

자본주의는 대기업이나 대지주 그리고 다주택자 등이 토지를 많이 소유하고 있고 국가도 일부 토지를 소유하고 있다. 그런데 국가가 세금을 통해서 비소유 토지에 대해서도 관리를 하고 있기 때문에 그 소유 주체가 복합적이라 볼 수 있다.

헨리 조지는 위 방식 중에서 후자를 더욱더 강화한 방식으로 문제를 풀 수 있다고 했다. 국가가 토지를 소유할 필요도 없고, 자유롭게 토지를 매점매석해도 좋은데, 세금으로 임대료를 다 거두면 토지 집중 소유 문제가 해결될 수 있다고 보았다. 그런데 헨리 조지 방식은 문제를 더욱더 복잡하게 만든다. 이는 여러 군데서 설명했고, 지금 대한민국에서 벌어지는 일은 헨리 조지 백신이 완전히 틀렸음을 증명한다.

세번째 방식은 국민 소유 방식인데 이는 가나안 정복 이스라엘이 취한 방식이었다.

당시는 왕도 없었고, 정규군도 없었고, 공무원 조직도 없었다.

다만 레위 지파가 성전 봉사와 재판 그리고 행정의 일을 맡았다고 볼 수 있다.

레위 지파의 수는 전체 지파 수 중에서, 김광종의 저서 장단주기 분배론에서 분석한 것처럼 약 인구 중 3%를 차지했다고 볼 수 있다.

그런데 매년 십일조를 거두고 이것이 레위 지파에게 주어졌다. 레위 지파는 토지를 소유할 수 없었다. 레위 지파의 지분은 다른 지파들에게 분산 소유되었다. 그리고 각 지파는 여기에서 나온 생산물을 레위 지파에게 가져다 주었다.

오히려 국가 소유가 민간 소유로 전이되고 그 생산물의 일부를 받는 형태로 유지되었다.

세금이 아니라 그 토지 소유권, 그리고 다른 지파들을 대신해서 성전과 재판, 행정 등에 봉사하는 댓가로 십일조를 받은 것이다.

그리고 나머지 지파는 가계별로 그 토지가 상속되었고, 팔 수도 있었지만 희년이나 또는 주변에서 능력이 되면 무르기를 통해서 다시 회복되는 시스템을 가지고 있었다.

이 세번째 방식이 가장 바람직한 형태다. 독재가 성립될 수 없는 형태다. 부의 불평등이 장기 전이될 수 없는 구조다. 그런데 이 구조를 이스라엘의 부자와 권력자들이 깨뜨린다. 아합 왕은 나봇의 포도원을 빼앗고 죽음에 다다르게 된다. 나봇은 그 토지가 하나님과 조상으로부터 받은 천부적 권리임을 주장하다가 맞아 죽게 된다. 그러나 하나님은 나봇의 주장이 옳았음을 보여주신다. 나봇은 선지자였던 것이다.

62. 마르크스의 노동독재, 헨리조지의 국가토지독재

마르크스는 노동에서만 잉여가치가 나온다는 이론을 전개함으로써 노동 독재의 이론적 토대를 제공했다. 이는 공산주의까지 이어졌고 비극적 투쟁이 자본주의 세계와 공산주의 세계에서 벌어지게 했고, 이는 다시 2차 대전 후 한반도에서 6.25라는 동족 상쟁의 전쟁이 벌어지게 만들었고 아지고 그 싸움은 멈추지 않았고, 공산주의 체제인 중국의 부상으로 마르크스 주의는 새로운 부흥기를 맞고 있다.

헨리 조지는 토지 임대료를 국가가 세금으로 몰수함으로써 생산의 3요소 중 모든 것의 상위 포식자인 지주들의 불로 소득을 거둠으로써 정의가 실현된다고 이해하고 이를 실현하고자 지대조세제를 마련해야 한다고 했다.

자본주의 세계에서 토지와 주택 등에 과다한 세금을 매기는 일은 계속 되고 있다. 자본을 지키면서 지주를 원수로 만들어 국가와 자본이 공존하려는 계략이 존재한다.

헨리 조지 이론은 국가 토지 독재 사회주의라고도 부를 수 있다. 자본주의를 건드리지 않는다는 것을 헨리 조지 신봉자들은 강조한다.

시장 경제를 중시한다는 것을 강조한다. 그래서 토지 시장도 자유롭게 형성되게 하고 다만 후행적으로 세금으로만 통제한다는 것을 강조한다.

자유 시장 경제주의자들을 비판을 피할 수 있는 좋은 방법이다. 그래서 자본주의에 기생하고 있는 사회주의자들이 헨리 조지를 가져다 쓰면서 안심하고 사회주의 노선을 주장할 수 있게 해준다. 그러다 비판받을 때면 다시 헨리 조지의 우산 밑으로 피한다.

강남 좌파가 이를 가장 잘 실현하고 있다. 그들은 주식 투자에도 열심이고 펀드도 잘 활용한다. 그리고 자신의 자녀들은 수시와 스텍을 이용해 사회의 정점 지위와 자산들을 확보할 수 있도록 도운다.

무엇이 스탈린과 모택동과 다른지 이들은 잘 구별이 되지 않는다.

북한의 김정은은 강남 좌파의 롤모델이다. 김정은 위원장은 사회주의의 독재 지도자인데 그의 삶은 아주 럭셔리하고 그의 소유는 북한의 전부이다.

강남 좌파가 원하는 것은 바로 김정은의 삶이다. 일제와 싸웠다는 독립 전설의 편에 서면서 친일파를 단죄함으로써 도덕적 우위를 확보한다. 그러나 독립 운동이 조선 왕제로부터의 독립 운동인지, 일제라는 국제적 제국주의로부터의 독립인지를 명확히 구별짓지 못하고 있다.

김정은은 조선이라는 국가 칭호를 사용함으로써 공화국이라기보다는 왕제를 더욱 사모하고 있음을 드러내고 실제 그들의 통치 방식은 민주공화국이 아니라 절대 왕정이다.

그런데 이스라엘은 이런 절대 왕정도 봉건제적 왕제도 필요로 하지 않았고 그것을 거부하도록 제도되었지만 소수 리더 세력에 의해 왕제를 받아들이는 우를 범하면서 민족 몰락의 길로 가게 된다.

존 로크를 통해 확보된 부르주아 민주제가 일제의 통치를 거치면서 왕제가 무너지고 미국에 의해 강제 유사 민주제가 한반도의 남쪽에 도입되면서 대한민국 정부가 유약하나마 설립되었고 친일파와 미국 그리고 독립 세력 중 일부가 혼재하다가 부패로 무너지고 군부 독재로 이어졌고 이후 민주화 세력에 의해 민주 정부들이 들어서긴 했지만 그 와중에 강남 좌파 위선 사회주의 세력이 그 주도권을 가지면서 지대조세제를 통해 사회주의를 달성하려다가 큰 혼란에 빠져버린 것이 바로 노무현 문재인 집권기이다.

국가가 토지를 독점한다는 사회주의자라는 비난을 피하면서 토지 집중 문제를 해결하고자 묘책을 찾은 것이 헨리 조지의 지대조세제다. 토지를 국가가 소유하지 않으면서 세금으로만 통제할 수 있는 묘책. 그러나 이는 묘책이 아니고 최악의 방법이다.

그래서 헨리 조지는 그렇게 거둔 세금을 어떻게 쓴다는 이야기를 할 수 없었다. 다시 사회주의자로 몰릴 수 있었기 때문이다. 성경은 그 토지의 귀착점을 분명히 말씀하고 계시다.

헨리 조지가 끝까지 정직했다면 그는 지대조세제로 거둔 세금을 가난한 사람들, 무산자에게 나누어주어야 한다고 말했을 것이다. 그러나 그는 그렇게 말하지 않았고, 대한민국의 지대조세론자들도 그렇게 말하지 않는다.

특히 기독인이라고 하면서 헨리 조지 이론을 신봉하는 사람들은 하나님 앞에서 반성해야 한다.

게다가 그들은 초기에 성경적 토지 정의 모임이라고 하면서 성경을 앞에 달았다. 전혀 성경적이지 않으면서 성경이라는 귀한 단어를 그 모임 앞에 붙였다.

다시 한번 촉구한다. 헨리 조지 신봉자들은 하나님과 성경에로 돌아와서 다시 헨리 조지를 바라보아야 한다.

63. 헌금은 강조하지만 희년 자산 분배는 강조하지 않는 교회

모세오경에선 매년 십일조, 매 삼년 십일조, 매 7년 안식년, 매 7년 면제년, 무이자, 매 7년 종의 해방, 매 50년 희년이 함께 말씀되어지고 있다.

그리고 말라가서에선 십일조가 강조되고 있다.

느헤미야서,이사야서 등에선 무이자, 종의 해방, 토지 돌려주기, 부동산 문제 해결 등이 나온다.

그런데 개신교회에서 유독 십일조만 강조되고, 무이자, 토지 돌려주기, 부채 탕감 등은 이야기하지 않는다.

신약 복음서에서 예수님은 돈 꿔주기, 재산 나눠주기 등을 말씀하신다.

사도행전에서는 아예 유무상통이 성령 받은 공동체에서 이뤄지는 것을 보여주신다. 이 과정에서 아나니아와 삽비라는 땅을 판 값을 다 내어놓았다고 거짓말했다가 죽는 일까지 벌어진다.

왜 교회는 성경에, 그것도 신약에까지 엄연히 있는 일을 말하지 않고 강조도 하지 않고, 내세의 구원에 대해서만 열심히 이야기하면서 현세의 십일조는 강조하고 있는 것일까!

64. 헨리 조지 신봉자들께 드리는 질문

이전에 장단주기 분배론을 통해 〈성경적 토지 정의를 위한 모임〉에의 질의 사항이라고 했던 부분을 다시 여기에서 적어본다.

지금은 이 모임의 이름이 다른 이름으로 바뀌었지만 이 분들이 여전히 같은 마음으로 활동하고 있다고 생각한다. 이 분들을 심성이 훌륭하시고 존경할 만하신 분들이 많다. 헨리 조지도 훌륭한 분이었다고 본다. 가난한 사람들의 문제를 해결하고자 했고, 그래서 뉴욕 시장 선거에도 나오셨다. 그러나 정책과 이론에서 동의할 수 없다. 그리고 그 때 드렸던 질문들을 다시 적어본다.

성경적 경제 정의를 실현하기 위해 애쓰시는 성토모 회원님들께 감사드리며 몇 가지 질문 드리겠습니다.

1) 성토모가 생각하는 경제 활동의 주요 목적은 무엇인가요? 생활 수단 확보가 영생을 가져다주는가요?

2) 생산의 요소가 토지, 노동, 자본인가요? 하나님은 생산 현장에서 어디에 계시는가요? 임금과 이윤은 하나님과 어떤 관계가 있는가요?

3) 잉여가치는 어떻게 창출되는가?요 교환가치를 통해 창출되는가요? 잉여가치 창출의 주체는 누구이며, 그 비율은 어떻게 됩니까? 개인이 창출한 것, 사회가 창출한 것을 어떻게 구별하며 그 비율은 무엇인가요?

4) 지대조세제로 거둔 세금은 누구에게 사용되어지는가요? 성경은 왜 그토록 가난한 사람들에게 나누어주는 것을 강조하셨는가요?

5) 지대조세제가 매년 십일조와 매3년 십일조, 면제년, 안식년, 희년의 내용을 어떻게 담고 있는가요? 십일조는 공적 성격, 희년은 사적 거래의 성격을 담고 있는데 지대조세제는 어떻습니까?

6) 소득세가 벌금인 이유는? 십일조가 벌금인가? 면제년이 도덕적 해이를 유발하는가요?

7) 지대조세제가 땅의 사용 효율을 높인다면 땅과 노동은 더욱 더 쉴 기회를 상실하지 않는가요? 안식년은 땅도 노동도 쉬고

하나님을 생각하는 해라고 봅니다.

8) 지주의 탐욕이 제어되면 자본가의 탐욕은 사라지는가요? 어떻게 지대조세제로 새 하늘과 새 땅이 도래하는가요? 왜 예수님은 부자 청년에게 영생을 얻으려면 가진 것을 모두 팔아(임금, 이자, 지대) 가난한 사들에게 나누어주고 예수님을 따르라 하셨는가요?

9) 지대조세제로 이미 생겨버린 자본의 크기 차이가 해소되는가요? 임대료가 비싼 땅을 자본의 크기 차이로 임대할 수 없는 사람들은 어떻게 되나요? 이것이 공정 경쟁인가요?

10) 희년법은 토지를 무상으로 균등 분할, 원상 회복했는데 지대조세제가 토지 무상 균등 분할의 효과를 가져오는가요?

11) 이스라엘이 각종 경제법 등을 통해 달성한 지니계수는 어느 정도로 추정합니까? 지대조세제를 통해 달성하려는 지니계수 목표치는 어떻게 됩니까?

12) 성경의 경제법은 신정국가로서의 정치적 속성을 뒷받침하는 구조였다고 보는데 이 점에서 정치 구조를 변화시키려는 노력을 전개하는 바와 별개로 움직이는 경제 운동, 토지 운동의 한계에 대해 어떻게 생각하십니까?

13) 성읍 내 가옥을 1년 이후에는 영구히 팔 수 있도록 하신 이유는 무엇일까요?

14) 예수님이 왜 희년을 거론하시기보다는 모든 것을 가난한 자들에게 나누라는 말씀을 하셨을까요?

15) 경제법에서 이방인과 이스라엘을 구별하신 이유가 무엇일까요?

16) 2021년 현재 이런 부동산 혼란상을 겪으면서 성토모가 제시했던 정책에 대한 책임과 2003년 제가 제시했던 다른 대안들에 대하여 어떻게 생각 하는지요?

65. 부자는 자본과 토지 주택을 증여 상속하는데 국가는 가난한 자들에게?

부자는 자기 자녀에게 자본과 토지와 주택을 상속하고 살아 생전에 증여도 한다. 그리고 그 자녀 교육을 위해 엄청난 돈을 투자한다. 온갖 정성을 들인다.

그 부자가 국가 정책을 담당하면 그는 가난한 사람들에게 이렇게 말한다. 꼭 강남에 집을 가질 필요는 없다. 장하성이라는 사람이 그렇게 말했다. 자신은 강남에 집을 가지고 있고, 좋은 주식들도 가지고 있으면서. 이런 사람이 문재인 정부의 핵심 정책을 이끌었었다.

왜 그럼 국가는 가난한 사람들, 가난한 국민들에게 토지와 주택을 임대로만 제공해야 하고 상속하거나 증여해서는 안되는가!

예수님은 하나님의 뜻대로 행하는 사람이 자신의 모친이고 형제라고 하셨다.

이 국가를 위해서 희생한 사람들에게, 국방의 의무를 다하고 납세의 의무를 다하고, 교육의 의무를 다하고 출산의 의무를 다한 가난한 국민들에게 왜 토지와 주택과 자본을 증여하고 상속하면 안되는가!

그것이 사회주의인가! 사회주의는 결코 토지와 주택과 자본을 그 국민에게 상속 증여하지 않는다. 오직 국가가 가지고 있을 뿐이고 그 국가는 프로레타리아 독재라는 미명 아래 일부 권력자들이 독점하고 있다.

66. 벼락 거지와 로또 그리고 국가의 역할

지니 계수를 통해 볼 때 대한민국 사회는 거의 1에 가깝게 가고 있다. 여기에서 부동산의 비중이 너무 크다.

강남 수서의 임대아파트에 1990년 대 보증금 300만원 정도에 입주한 세대는 여전히 자산이 500만원 정도에 머무른다. 그런데 거기서 가까운 개포주공 1단지에 1200만원에 분양 받고 입주한 세대는 지금 20억원 정도의 자산을 확보하게 되었다.

이 정도 극단적 사례가 아니어도 우리 사회에서 요즘 회자되는 벼락 거지도 같은 종류의 말이다. 강남에 집을 가진 사람과 그렇지 못한 서울 시민, 그리고 지방에 집을 가진 사람과의 차이.

서울에 있는 대학에 보내려면 지방민이 그 자녀의 주거비에 지출해야 할 돈의 차이.

이런 자산 격차를 줄이기 위해 서민들은 다시 로또를 산다. 그것도 정부에서 발행한 로또를.

아담 스미스는 국부론에서 로또를 사는 것은 어리석은 것이고, 보험에 드는 것은 지혜로운 일이라고 하셨다. 대한민국 정부가 얼마나 사기꾼 짓을 계속하고 있는지 아담 스미스가 하늘에서 보고 계실 것이다.

토지 임대부로라도 현재 임대아파트 거주자들에게 그 집들의 소유권을 그냥 넘겨 주어야 한다. 대한민국이 1945년에 해방되고 1948년에 정부가 수립되고, 1950년에 남북 전쟁이 일어나고 이젠 2021년이 되었다.

희년은 50년 마다 온다.

이제 희년을 제공해야 한다.

무주택 서민들에게 집을 무상으로 주거나, 희년 증권 발행을 통해 무상으로 자산을 제공해야 한다. 부자들이 증여나 상속하는 것처럼

이것이 국가의 역할이다. 국민연금을 통해서 전국민이 부동산과 주식을 공유하는 것도 좋은 방법이다. 위 두 방법을 함께 사용해야 한다.

코로나 치료에 여러 방법을 쓰듯이..백신을 통해 예방하듯이.
국민연금을 통한 공유는 예방이고, 토지임대부 등을 통한 자산 증여는 치료제이다.
검증도 되지 않은 헨리 조지의 진보와 빈곤 백신을 주사해서 부작용이 너무 크다.
그러나 국가 자산의 증여나 상속, 국민 연금을 통한 공유는 이미 검증된 치료제이고 백신이다. 이는 3천년 전부터 쓰여진 치료제이고 백신이다.

67. 소득 주도 성장과 자산 분배 성장

연봉 1억원 이상을 받는 근로자의 수는 전체의 2.8%에 해당하는 43만명, 8천만원~1억원 미만은 47만명(3.0%), 6천만원~8천만원미만은 107만명(7.0%), 4천만원~6천만원미만은 224만명(14.5%), 2천만원~4천만원미만은 601만명(39.0%), 2천만원미만은 521만명(33.8%)으로 분석됐다.
[CBS노컷뉴스 이재웅 기자] leejw@cbs.co.kr

2017년 위 자료로 볼 때 시간당 최저 임금 올린다고 불평등 문제, 부동산 문제 등이 해결될 수 없다고 이미 지적했다. 그런데 문재인 정부는 소득주도 성장 정책을 밀어붙이면서 최저임금을 찔끔 올렸는데 이 후폭풍이 컸다.
자영업자들은 이미 한계 상황이었는데, 특히 임대료 부문에서 고통이 컸는데 여기에 이 짐까지 더해주었다.

마치 올림픽 역도 경기에서 1KG 더한다고 그 위대한 선수들이 얼마나 지장받을까 싶지만 자기 기록에 1KG을 더해서 들기란 쉽지 않다.

이미 대한민국에서 한계 상황에서 모든 힘을 다해서 자녀 가르치랴, 생활 유지하랴, 부동산 대출금 갚으랴, 가게 임대료 내랴, 직원들 월급 주랴, 올라가는 재료값 감당하랴...더이상 여력이 없는 자영업자들은 이 정책으로 큰 타격을 받게 된다.

부동산 가격은 문재인 정부 들어서 수직 상승한다. 주가도 그렇게 된다. 손흥민 선수가 연봉이 많아지는 것이 꼭 서민들에겐 좋은 일이 아니고, 삼성전자 직원들 연봉이 높아지는 것도 똑같다.

그들이 그 돈으로 대한민국의 부동산을 사들이면 무주택자는 더 힘들어진다. 이것이 경제다. 그런데 강남 좌파들은 자신들이 강남에 아파트도 가지고 있고, 공무원 월급도 받고 하니 이 사정을 이해할 수가 없다. 입만 죄파다.

해결책은 강남 좌파가 자기 자녀들에게, 자기 아내에게 하는 정책을 국민들에게 하면 된다.

그래서 대답은 국유민영일 수밖에 없다. 그리고 국민연금을 통한 공유다. 거기에 더해서 토지임대부 등을 통하여 국가가 보유한 토지와 자산을 서민들에게 무상 증여 상속하는 방법이다.

가난한 사람들에겐 국가가 부모가 되어서 증여와 상속을 해주어야 한다.

68. 운명과 소명

운명으로 대통령이 되는 일은 위험하다.

운명으로 왕이 되어서 사울은 망했다. 사울이라는 이름의 뜻은 위대한 자라고 한다.

그러나 소명으로 이스라엘의 왕이 된 다윗은 자신을 낮추고 사울의 딸 미갈 앞에서 옷이 벗어지도록 하나님을 위해서 춤을 추었다.

공의로 다스리는 자, 하나님을 경외함으로 다스리는 자여 그는 돋는 해 아침 빛 같다고 다윗은 사무엘하 23장에서 노래하셨다

이제 대한민국엔 운명으로, 학연으로, 인연으로 대통령이 되고 국회의원이 되고 권력을 가지는 일은 사라져야 한다. 이는 재앙이 된다.

이제는 소명으로 기름부음 받은 낮은 자, 작은 자, 겸손한 사람들이 권력을 위임받아야 한다. 그들은 그 권력이 자신의 것이 아니라 하나님의 것이며, 자신은 일반 국민과 전혀 다른 것이 없는 평범한 사람임을 잘 알고 있다.

권력을 가지고서도 자신이 평범한 사람임을 알 수 있는 유일한 길은 성경을 묵상하는 방법 외엔 없다.

성경에 그렇게 쓰여져 있다. 왕이 성경을 읽어야 하는 이유가 바로 자신이 일반 백성과 같은 사람이라는 것을 알기 위해서였고, 자신이 위대한 사람이 아니라는 것을 날마다 깨닫기 위해서였다.

이스라엘의 왕(신명기 17장 중)

14 네가 네 하나님 여호와께서 네게 주시는 땅에 이르러 그 땅을 차지하고 거주할 때에 만일 우리도 우리 주위의 모든 민족들 같이 우리 위에 왕을 세워야겠다는 생각이 나거든

15 반드시 네 하나님 여호와께서 택하신 자를 네 위에 왕으로 세울 것이며 네 위에 왕을 세우려면 네 형제 중에서 한 사람을 할 것이요 네 형제 아닌 타국인을 네 위에 세우지 말 것이며

16 그는 병마를 많이 두지 말 것이요 병마를 많이 얻으려고 그 백성을 애굽으로 돌아가게 하지 말 것이니 이는 여호와께서 너희에게 이르시기를 너희가 이 후에는 그 길로 다시 돌아가지 말 것이라 하셨음이며

17 그에게 아내를 많이 두어 그의 마음이 미혹되게 하지 말 것이며 자기를 위하여 은금을 많이 쌓지 말 것이니라

18 그가 왕위에 오르거든 이 율법서의 등사본을 레위 사람 제사장 앞에서 책에 기록하여

19 평생에 자기 옆에 두고 읽어 그의 하나님 여호와 경외하기를 배우며 이 율법의 모든 말과 이 규례를 지켜 행할 것이라

20 그리하면 그의 마음이 그의 형제 위에 교만하지 아니하고 이 명령에서 떠나 좌로나 우로나 치우치지 아니하리니 이스라엘 중에서 그와 그의 자손이 왕위에 있는 날이 장구하리라

69. 말씀과 기도

성경은 지혜의 책입니다. 정책 담당자가 성경을 읽지 않는 것

은 위험합니다. 안간 사회에 대한 기본적 솔루션이 담긴 책이 성경입니다.

그러나 성경을 읽지 않으면 인류의 소중한 자산을 버리고 답을 찾는 것과 다름이 없고 이는 큰 위기를 가져옵니다.

간단하게 답을 찾을 수 있는 것을 돌아돌아 헤매이게 됩니다.

그리고 이 세계를 창조하시고 다스리시고 구원하실 야훼께 기도드려야 합니다. 하나님이시고 하느님이라 불리시는 분께 우리의 문제를 해결해주시길 기도드려야 합니다.

이스라엘이 국가적 위기를 겪을 때 기도드린 것처럼 대한민국의 모든 분들이 기도드려야 합니다. 우리에게 부동산 문제, 경제 문제를 풀어낼 소명의 사람을 보내주시라고 기도드려야 합니다.

가난한 사람들을 구해내고, 아픈 사람들을 돌볼 수 있는 다윗 같은 분, 섬기는 종을 보내달라고 기도드려야 합니다.

그리고 선거를 통해 그런 사람들을 분별할 지혜를 달라고 기도드려야 하고, 스스로 그런 소명을 가진 사람이면 자신이 나서서 느헤미야처럼 국가적 민족적 문제를 해결할 수 있도록 기회를 주시라고 기도드려야 합니다.

70. 한글 성경엔 그리스도이지 기독이라는 단어가 없다.

대한민국에서 기독교를 개독교라고 하는 말이 있다. 성경엔 하나님께서 이스라엘로 인해서 이방인들 가운데 비방이 높다는 말씀이 있다. 하나님이 기독인들로 인해서 모욕을 받으신다. 나도 그 사유의 한 죄인이다.

그러나 성경을 읽어보면 하나님이 얼마나 공의로우시고, 섬기시는 분이신지 잘 알게 된다. 나와는 너무도 다르신 분이다. 그래서 나는 나를 죄인의 괴수라 부른다.

하나님을 아직 믿지 않는 사람들도 성경을 읽어보기를 권한다. 특히 정책 담당자들은 더욱 그렇다.

개신교를 보통 기독교라고 한국 사회에서 칭한다. 물론 이 단어는 한자어로서 중국에서 만들어낸 단어이다. 그런데 기리사독이라고 처음 만들어진 이 단어에서 기독으로 압축해서 썼고 여기에 교를 붙여서 기독교가 되었다.

그런데 한글로 번역된 어떤 성경에도 이 기독이라는 단어는 등장하지 않는다. 그리스도라고 번역되었거나, 메시야로 표시되어 있다. 예수 기독이 아니라, 예수 그리스도로 번역하고 있다.

그리스도는 기름부음을 받은 이라는 뜻이라고 한다. 그런데 기독은 이 단어의 뜻과 별 상관이 없어 보인다. 基理斯督 기리사독이다. 음역에 가깝다.

가장 중요한 그리스도란 단어를 음역해버린 것은 큰 오류다. 이를 바탕으로 기독교라고 쓴 것은 큰 문제다.

한국 사회에서는 기독교가 개독교로 불린다.

차라리 그리스도교라고 해야 한다. 그런데 이 단어도 온전하진 않다. 교라고 종교회해버린 것이 바로 중국이기 때문이다.

기독교가 불교처럼 여러 종교 중의 하나가 되어 버렸다.

그리스도인이라 불리는 사람들이 신약에서 등장했다. 안디옥에서 제자들이 그리스도인이라 불렸다. 이로 볼 때 그리스도인의 모임이라고 불리는 것, 즉 그리스도인회라고 기독교 명칭을 바꾸는 것이 좋겠다.

예수가 메시야, 즉 그리스도이고 그가 만왕의 왕이시며 구세주이심을 선포하는 믿는 명칭으로 기독교라는 단어를 바꾸어야 한다.

한중일 그리스도인들의 한자 문화권에서 기독이라는 단어와 교회라는 단어에 대해서 보다 성경적 단어를 찾아내어야 한다.

하나님을 섬기는 민족, 국가로서 이스라엘이었다. 즉 하나님 나라 공동체, 운명 공동체로서 이스라엘이 출범하였던 것이지 종교 단체로서 이스라엘이 축소되어 출발하지 않았다.

예수를 그리스도로 믿고 섬기는 무리들인 우리들은 하나님 나라의 공동체이지 종교라고 축소된 공동체가 아니다. 왕이요 선지자요 제사장이다. 그런데 기독교라는 단어는 왕을 제해버리고 있다.

한국일보 최윤필 기자의 10월 14일 글 중 다음과 같은 내용이 있다.

미국 패션 거물 랠프 로런(Ralph Lauren, 1939.10.14~)이 성(姓) '리프시츠(Lifshitz)'를 포기한 건 1955년, 만 16세 때였다. 2002년 인터뷰에서 그는 "성 때문에 어릴 때부터 놀림에 시달렸기 때문"이라고, "소문처럼 유대 혈통을 감추려던 게 아니다"라고 말했다. 'shits(똥)'는 푸념이나 욕설에 자주 쓰이는 말이다.

71. 살인과 이웃의 아내와 간음과 이자 받고 돈 꿔주는 것은 다 죽을 죄

에스겔서 18장에는 하나님께서 이스라엘을 향해 죽을 죄를 말씀하신다. 우상 숭배도 죽을 죄이고, 살인도 죽을 죄이고, 이웃의 아내와 간음하는 것도 죽을 죄이고, 그런데 여기에 이자를 받고 돈을 꿔주는 것도 죽을 죄로 나온다.(에스겔 18장 10-13)절)

고금리로 저신용자에게 돈을 빌려주고 이익을 취하는 은행과 카드사들은 살인죄를 저지르고 있는 것이다.

지금 우리 시대에 우리는 죽을 죄를 얼마나 많이 짓고 살고 있는가! 그러나 하나님께서는 이 죄들로부터 떠나면 다시 살려주겠다고 말씀하신다.

아버지가 그런 죄를 졌어도 그 자녀가 이런 죄를 짓지 않고 살면 그 자녀는 의인이 될 것이고 잘 될 것이라고 말씀하신다.

또 의롭게 살다가도 이런 죄를 다시 지으면 죽으리라고 말씀하시고, 이런 죄를 짓다가도 다시 돌이켜 이런 죄를 짓지 않으면 살게 되리라고 말씀하신다.

부동산 문제는 이자와도 깊은 관련이 있다. 가난한 사람들이 돈을 모으지 못하는 큰 이유가 이자에 시달려서다. 한번 어려워지면 결코 이 빚에서 헤어날 수가 없다.

가난한 사람들에게 무이자로 돈을 빌려주어야 한다. 그렇지 않으면 살인죄를 저지르는 것과 같다. 왜 그럴까! 고금리에 시달리고 빚독촉에 시달리면 죽고 싶어진다. 희망이 사라진다.

그 빚을 다 갚을 길이 보이지 않는다. 그 모욕을 참을 길이 없다. 빚은 점점 더 커진다. 결국 일가족 자살을 하게 된다. 그러니 고금리로 돈놀이 하는 것은 살인을 저지르는 죄다.

다음은 에스겔서 18장이다. 위의 말씀이 설명되어 있다. 헬조선은 바로 이렇게 만들어졌다.

그런데 하나님은 이 죄에서 악인이 떠나면 다시 살려주시겠다고 말씀하신다.

개역개정

제 18 장

아버지의 죄악과 아들의 의

1 또 여호와의 말씀이 내게 임하여 이르시되

2 너희가 이스라엘 땅에 관한 속담에 이르기를 아버지가 신 포도를 먹었으므로 그의 아들의 이가 시다고 함은 어찌 됨이냐

3 주 여호와의 말씀이니라 내가 나의 삶을 두고 맹세하노니 너희가 이스라엘 가운데에서 다시는 이 속담을 쓰지 못하게 되리라

4 모든 영혼이 다 내게 속한지라 아버지의 영혼이 내게 속함 같이 그의 아들의 영혼도 내게 속하였나니 범죄하는 그 영혼은 죽으리라

5 사람이 만일 의로워서 정의와 공의를 따라 행하며

6 산 위에서 제물을 먹지 아니하며 이스라엘 족속의 우상에게 눈을 들지 아니하며 이웃의 아내를 더럽히지 아니하며 월경 중에 있는 여인을 가까이 하지 아니하며

7 사람을 학대하지 아니하며 빚진 자의 저당물을 돌려 주며 강탈하지 아니하며 주린 자에게 음식물을 주며 벗은 자에게 옷을 입히며

8 변리를 위하여 꾸어 주지 아니하며 이자를 받지 아니하며 스스로 손을 금하여 죄를 짓지 아니하며 사람과 사람 사이에 진실하게 판단하며
9 내 율례를 따르며 내 규례를 지켜 진실하게 행할진대 그는 의인이니 반드시 살리라 주 여호와의 말씀이니라
10 가령 그가 아들을 낳았다 하자 그 아들이 이 모든 선은 하나도 행하지 아니하고 이 죄악 중 하나를 범하여 강포하거나 살인하거나
11 산 위에서 제물을 먹거나 이웃의 아내를 더럽히거나
12 가난하고 궁핍한 자를 학대하거나 강탈하거나 빚진 자의 저당물을 돌려 주지 아니하거나 우상에게 눈을 들거나 가증한 일을 행하거나
13 변리를 위하여 꾸어 주거나 이자를 받거나 할진대 그가 살겠느냐 결코 살지 못하리니 이 모든 가증한 일을 행하였은즉 반드시 죽을지라 자기의 피가 자기에게로 돌아가리라
14 또 가령 그가 아들을 낳았다 하자 그 아들이 그 아버지가 행한 모든 죄를 보고 두려워하여 그대로 행하지 아니하고
15 산 위에서 제물을 먹지도 아니하며 이스라엘 족속의 우상에게 눈을 들지도 아니하며 이웃의 아내를 더럽히지도 아니하며
16 사람을 학대하지도 아니하며 저당을 잡지도 아니하며 강탈하지도 아니하고 주린 자에게 음식물을 주며 벗은 자에게 옷을 입히며
17 손을 금하여 가난한 자를 압제하지 아니하며 변리나 이자를 받지 아니하여 내 규례를 지키며 내 율례를 행할진대 이 사람은 그의 아버지의 죄악으로 죽지 아니하고 반드시 살겠고
18 그의 아버지는 심히 포학하여 그 동족을 강탈하고 백성들 중에서 선을 행하지 아니하였으므로 그는 그의 죄악으로 죽으리라
19 그런데 너희는 이르기를 아들이 어찌 아버지의 죄를 담당하지 아

니하겠느냐 하는도다 아들이 정의와 공의를 행하며 내 모든 율례를 지켜 행하였으면 그는 반드시 살려니와

20 범죄하는 그 영혼은 죽을지라 아들은 아버지의 죄악을 담당하지 아니할 것이요 아버지는 아들의 죄악을 담당하지 아니하리니 의인의 공의도 자기에게로 돌아가고 악인의 악도 자기에게로 돌아가리라

21 그러나 악인이 만일 그가 행한 모든 죄에서 돌이켜 떠나 내 모든 율례를 지키고 정의와 공의를 행하면 반드시 살고 죽지 아니할 것이라

22 그 범죄한 것이 하나도 기억함이 되지 아니하리니 그가 행한 공의로 살리라

23 주 여호와의 말씀이니라 내가 어찌 악인이 죽는 것을 조금인들 기뻐하랴 그가 돌이켜 그 길에서 떠나 사는 것을 어찌 기뻐하지 아니하겠느냐

24 만일 의인이 돌이켜 그 공의에서 떠나 범죄하고 악인이 행하는 모든 가증한 일대로 행하면 살겠느냐 그가 행한 공의로운 일은 하나도 기억함이 되지 아니하리니 그가 그 범한 허물과 그 지은 죄로 죽으리라

25 그런데 너희는 이르기를 주의 길이 공평하지 아니하다 하는도다 이스라엘 족속아 들을지어다 내 길이 어찌 공평하지 아니하냐 너희 길이 공평하지 아니한 것이 아니냐

26 만일 의인이 그 공의를 떠나 죄악을 행하고 그로 말미암아 죽으면 그 행한 죄악으로 말미암아 죽는 것이요

27 만일 악인이 그 행한 악을 떠나 정의와 공의를 행하면 그 영혼을 보전하리라

28 그가 스스로 헤아리고 그 행한 모든 죄악에서 돌이켜 떠났으니 반

드시 살고 죽지 아니하리라

29 그런데 이스라엘 족속은 이르기를 주의 길이 공평하지 아니하다 하는도다 이스라엘 족속아 나의 길이 어찌 공평하지 아니하냐 너희 길이 공평하지 아니한 것 아니냐

30 주 여호와의 말씀이니라 이스라엘 족속아 내가 너희 각 사람이 행한 대로 심판할지라 너희는 돌이켜 회개하고 모든 죄에서 떠날지어다 그리한즉 그것이 너희에게 죄악의 걸림돌이 되지 아니하리라

31 너희는 너희가 범한 모든 죄악을 버리고 마음과 영을 새롭게 할지어다 이스라엘 족속아 너희가 어찌하여 죽고자 하느냐

32 주 여호와의 말씀이니라 죽을 자가 죽는 것도 내가 기뻐하지 아니하노니 너희는 스스로 돌이키고 살지니라

헨리 조지는 바로 이러한 이자의 문제를 이야기하지 않았다. 부동산 만이 진보와 빈곤의 원인이 아니라 이자 문제 또한 아주 큰 원인이다.

문재인 대통령도 월급 받아서 은행에 예금하고, 서민들은 그 돈을 빌려서 고금리로 착취당한다. 전해철 행안 장관도 예금이 15억이 나오고, 윤호중 법사위원장도 예금이 컸다.

이들은 아무런 죄의식이 없다. 정치를 하면서도 이 고금리 대출이 가지는 죄악, 살인죄와 같은 이 죄악에 대해 둔감하다.

이제 저금은 은행이 아니라 가난한 사람에게 해야 한다. 그들에게 무이자로 꾸어주어야 한다.

이제 투자는 주식이 아니라, 가난한 사람에게 해야 한다. 그들에게 무이자로 꾸어주어야 한다.

문재인 대통령이 펀드에 들었다. 펀드가 아니라 가난한 사람에

게 꾸어주는 사업을 해야 한다.

72. 최고의 투자 수익처는 강남 부동산도 테슬라도 비트코인도 아닌, 가난한 사람들에게 꾸어주는 것

지난 해 투자 수익률이 높은 곳들도 강남 부동산, 삼성전자, 테슬라, 비트코인 등이 있는데 이보다 더 수익률이 높은 곳이 있다.

바로 가난한 사람들에게 무이자로 꿔주는 일이다.

내 주변에서 가난한 사람들을 찾아서 내가 노동으로 번 돈으로 또는 은행에 예금되어 있는 돈으로, 또는 부동산을 정리해서 내 주변의 가난한 사람들, 고금리에 시달리는 사람들에게 꿔주면 영생이 기다리고 있다.

돈이 왜 필요한가? 결국 생명을 유지하는 데 필요하다. 그런데 길어봐야 몇 십년 더 사는 데 아무리 예금 들고, 보험 들어봐야 결국 몇 십년 못 가서 끝이다.

그런데 영생, 영원한 생명에 투자할 길이 있다. 하늘에 보화를 쌓는 일인데, 이는 가난한 사람들에게 내 돈을 무이자로 꿔주는 일이다.

예수님은 영생을 얻기 원하는 부자 청년에게 이런 솔루션을 제공하셨다. 그러나 그 부자 청년은 심히 고민하면서 돌아가 버렸다.

그는 영생은 원했으나 자신의 재산이 축나는 것은 원치 않았다. 보아스 보다 룻을 선택할 권리가 앞장 선 남자 친척이 있었으나 그는 그 권리를 포기했다. 자신의 재산이 과부 여인으로 인해 축날 것이 싫었다.

그의 재산은 그 후로 어떻게 되었을까!

자신의 재산이 축나는 것을 마다 않고 룻을 자신의 아내로 택하여 그 죽은 남편의 대 이어주는 길로 간 보아스는 예수님의 족보에 오르고 성경에 길이 남는 분이 되었다.

그는 덤으로 영생도 얻었다.

최고의 투자 수익률을 거두는 곳은 바로 가난한 사람들을 돕는 것이다. 모두 자기 주변의 가난한 사람들 7-8명을 찾아서 꿔주면 된다. 돌려받을 가능성이 없는 사람에게 꿔주면 더 좋다는 말씀이 있다. 가난한 학생, 가난한 병자, 고금리로 시달리는 분들에게 꿔주면 된다.

내 일을 더 열심히 해서 돈을 벌고 번 돈을 그들에게 꿔주면 된다.

농사를 지어서 내년 종자만 남기고 나의 가족이 먹을 것을 남기고 나머지는 다 꿔주면 되는 방식이다.

하나님께서 복을 부어주신다고 하셨다. 매년 농사 생산물이 햇볕과 비의 도움, 미생물들의 도움으로 더욱더 잘 되는 것처럼 내 삶도 그렇게 될 것이다.

아픈 일도 더 적어지고, 부당하게 고통받는 일도 사라지면서 생산성이 높아지도록 하나님께서 도우실 것이다.

맺음말 : 1. 말세에 신약시대의 희년은 지켜야 할 규례인가?

사도행전 15장에 보면 바리새인 중에 예수님을 믿게 된 어떤 무리가 이방인도 예수의 십자가와 부활을 믿는 믿음 외에 할례와 모세 율법도 지켜야 한다고 주장하자

이 문제로 교회에서 토론이 있었고 야고보 사도가 정리하기를 우상의 제물과 피와 목매어 죽인 것과 음행만 멀리하고 다른 짐을 지우는 것이 옳지 않다고 하였다.

그래서 할례와 모세의 율법에서 해방되었다. 희년이나 십일조도 모세의 율법에 있는 내용이다.

그러면 오늘날 어떻게 해야 할까!

위 4가지 중에 요즘 문제 되는 것이 동성애다, 이런 음행은 피해야 하는데 더욱더 기승을 부리고 있다.

적정 연령이 되었을 때 청춘남녀가 또는 성인들이 경제적 부담감 없이 결혼하고 출산할 수 있는 사회를 만드는 것은 국가의 책무다. 이를 위해서 정치인들이 희생해야 한다. 이런 거룩한 혼인은 음행을 피하게 한다.

경제적 문제로 결혼할 수 없는 청춘남녀들이 그 정욕을 해소하기 위해 클럽에서 몸을 부비면서 만나고 원나잇하고 다대다로 성관계를 하는 사회는 반드시 멸망한다.

팡틴 같은 여성이 성매매하지 않아도 되는 사회를 만들어내야 한다. 독신 남성들이 성매매 여성을 찾을 수밖에 없는 것도 막아야 한다. 이 남성들이 적당한 상대를 만나서 혼인할 수 있도

록 도와야 한다. 이는 그 많은 돈을 쏟아부은 저출산 문제도 해결할 수 있다. 그래서 부동산 문제 해결은 저출산 문제 해결의 기본이다.

살인도 피의 문제니 피해져야 한다. 이자 문제는 사회적 타살이다. 당연히 피해야 한다. 부동산 문제는 극심한 부의 불평등을 가져오고 사회 혼란을 야기하고 피를 부른다. 그러니 당연히 이 문제를 해결해야 한다.

경제적 문제로 일가족이 자살하는 사회는 피와 사회적 타살의 사회다. 반드시 막아내야 하는 것이다.

낙태도 피의 문제다. 그러니 낙태가 사라지도록 노력해야 한다. 단지 금지가 아니라, 낙태하지 않아도 되는 사회를 만들어내야 한다. 여기엔 부의 불평등 문제 해결이 주요한 원인이다.

우상의 제물과 목매어 죽인 것은 잘못된 종교, 이단들, 사람들의 마음을 빼앗은 악한 것들을 이 사회와 국가에서 제거해가는 것이다.

가난한 성도들을 돕기 위한 성금 모금이 교회들 사이에 있었다. 이웃 사랑하기를 내 몸과 같이 하라 하신 예수님의 말씀은 여전히 이 신약 시대에 우리의 목표이고 하나님 사랑, 이웃 사랑, 대접받고자 하는대로 대접하는 원칙은 우리 삶의 기초이며 국가도 이런 정신을 바탕으로 공동체가 형성되고 발전되어야 한다.

예수님께서 이 땅에 오시기까지 우리가 선한 청지기가 되고 지혜로운 서기관이 되어 가정과 직장, 교회 그리고 국가 공동체,

세계 공동체 가운데 하나님의 나라와 하나님의 의를 구하고 세우는 일에서 최선을 다해야 한다.

우리는 이 세상에 각자 잠간 있다가 떠난다. 지혜자의 마음은 초상집에 있고, 우매자의 마음은 잔치집에 있다.

하나님의 나라를 먹고 마시는 데 있지 아니하다. 사람은 떡으로만 살 것이 아니고 하나님의 입으로 나오는 모든 말씀으로 산다.

우리는 영생을 위해 이 땅에서의 삶 가운데 연습과 절제를 해야 하고 나누어야 하고 신과 이웃을 사랑해야 한다.

내 몸처럼 사랑해야 할 국가 공동체의 이웃들이 주택 문제로 고통을 겪게 하는 것은 자살 행위다.

새 하늘과 새 땅이 오고 처음 하늘과 처음 당이 없어졌고 바다도 다시 있지 않게 된다.(요한계시록 21:1)

가장 중요한 것은 영생이다. 영원한 삶, 부자 청년이 꿈꾸었던 영생. 그 영생은 가난한 사람들에게 재산을 나눠주고 그리스도 예수를 따르는 것. 이것을 통해서만 얻어진다.

좁은 문으로 들어가기를 힘쓰라 하셨다. 넓은 길은 멸망의 길이다. 사람들이 모두 가는 길은 멸망의 길이다. 모두 돈을 사랑한다. 이는 멸망의 길이다. 좁고 협착한 길은 생명의 길이고 영생의 길이다.

헨리 조지는 이런 문제를 풀고자 진보와 빈곤을 쓰고 대안을 제시했다. 그런데 헨리 조지의 책이 가진 문제가 크다. 이 이론이 한국 사회에 들어와서 부동산 정책과 관련해서 큰 문제를 야기했다. 진보와 빈곤은 ISBN 분류에서 부가기호로 볼 때 학술 전문 서적이면서 사회과학 서적이면서 종교 서적으로 분류되었다. 왜 종교 서적일까!

그런데 왜 부동산 정책에서, 경제 정책에서 주요 수단으로 사용되고 있을까!

마르크스의 자본론을 넘어서는 대안이 헨리 조지에 필요했다. 하지만 헨리 조지는 방향을 잘못 잡았다.

머스크의 테슬라 회사가 주가가 폭등하면서 머스크는 130조원 정도의 세계 1위 부자가 되었다. 헨리 조지의 이론으로는 해석이 될 수없다. 헨리 조지는 지대조세제로 빈부 격차를 해소할 수 있다고 보았다. 마이크로소프트, 아마존, 구글 등 시가 총액 상위 회사들의 주주와 가난한 이들의 빈부 격차 문제를 어떻게 해소할 수 있을까!

지금 미국에서 벌어지는 백인 중산층, 또는 저소득층의 문제가 트럼프 지지로 이어지면서 큰 사회적 혼란이 펼쳐지는 것은 빈부 격차의 문제와 깊은 관련이 있다.

이는 오히려 마르크스의 자본론으로 현재의 빈부 격차를 해석하는 것이 부분적으로 더 타당하다.

그러나 마르크스가 되었든, 헨리 조지가 되었든 어느 하나로 이 세상의 경제 문제, 빈부 격차의 문제를 다 해석할 수 없다. 마르크스는 노동과 자본에 집중했고, 헨리 조지는 지대의 불합리성에 집중했다. 생산의 3요소는 토지 노동 자본이다. 어느 하나를 빼놓고서 모든 문제를 해결할 수는 없다.

김광종의 장단주기 분배론은 이 문제를 해결하기 위해 쓴 책이다. 그리고 거기서 보다 파생되어 부동산 문제에 집중해서 이 책, 대한민국 부동산 영구 평화론을 썼다. 이 책은 보다 헨리 조지의 진보와 빈곤을 비판하고, 부동산 문제에 촛점을 맞추어 썼다.

노무현 정부, 문재인 정부로 이어진 부동산 성책의 난맥상의 주 이론적 근거가 바로 헨리 조지의 진보와 빈곤을 토대로 한 지대 조세제 이론에서 파생되었기에 이 책을 비판하고 부동산 문제조차도 세금의 관점이 아니라 토지 분배, 자산 분배, 주택 분배의 관점에서 보아야 풀릴 수 있는 문제라는 것을 알리기 위해 쓴 책이다.

코로나 백신도 임상 시험을 거쳐서 사람들에게 주사되고 있지만 여전히 부작용이 발표되고 있다. 국가 정책도 임상 시험과 시뮬레이션을 통해 미리 철저히 검증된 후에 현장에서 정책으로 실현되어져야 한다.

그런데 두 정부의 부동산 정책은 임시 방편으로 시행되어졌고, 그 부작용은 우리가 목도하고 있는 바다. 원래 가격으로 복귀시키겠다는 허언은 이번 연두 기자회견에서 사과로 귀결지어졌다. 이미 대안이 존재하는데도 불구하고 검증도 되지 않은 정책으로 수많은 국민들을 힘들게 하는 일은 더이상 있어서는 안된다.

성경에 나오는 장단주기 분배, 희년의 자산 분배, 대출 이자제로, 부채 탕감 정책 등을 통해 가난한 사람들의 부 형성을 도와야 한다.

세상이 진행될수록 부는 편중되게 마련이다. 이는 역사적으로 계속 입증되고 있다. 그런데 놀랍게도 이 문제에 대한 대안이 이미 BC 1500여년 경에 주어졌고, 다시 예수님을 통해서는 더 욱더 강력한 대안이 주어졌다.

이를 서구 사회가 교회 안에서라도, 또는 기독교 사회로서 국가적으로 시행했다면 이슬람 사회도 형성되지 않았을 것이고, 좌파 사회주의 공산주의 정권도 만들어지지 않았을 것이다.

이제 자본주의가 극한적 빈부격차로 그 실상을 드러낸 때 우리는 다시 이 세상의 끝을 바라보면서 겸허하게, 토지 노동 자본의 분배 정의를 실현해야 한다.

우리의 끝은 다음의 성경 말씀에 씌어 있다. 김광종의 민주제적 질서 속에서 그리스도 통치론이라는 책을 통해 이것이 종교의 문제가 아니라 정치적 문제임을 보여주고 있는 바, 이 책 대한민국 부동산 영구 평화론은 그리스도 통치론과 함께 고찰되어야 하고, 이는 김광종의 또 다른 책, 죽은 겨자씨 한 알 - 한국 자본주의의 주체적 조건 발전론 -과 연계되어 있는 책이다.

그리고 거기에 영생을 위한 경제로서, 즉 경제의 최종적 목적이 먹고 살기 위한 것인데 그 먹고 살기 위한 문제는 영원히 먹고 살기 위한 문제이므로 영생과 관련이 있고, 따라서 국가가 국민 모두의 영생을 위한 경제, 국가의 영원성을 위하여 장단주기분배를 정의롭게 실현해야 함을 깨달아 알도록, 장단주기 분배론을 쓴 바, 이 네 권의 책을 함께 읽는 방법이 총체적으로 또는 구조적으로 위 문제를 해결할 방법을 찾아내는 데 큰 도움이 되리라고 본다.

부족한 책들이지만, 이 어두움의 시대에 약간의 빛이라도 되길 간절히 바란다.

마지막으로 현대 자본주의, 고도의 자본주의 사회에서 교육은 토지 노동 자본의 모든 축을 담당하게 되고, 세 영역과 깊은 관계가 있으며 이는 세계화까지 달성되었다. 따라서 교육의 격차 문제를 해결하는 대안이 마련되지 않고서는 빈부 격차의 문제를 해결할 수 없는 지경에 이르렀다.

이에 대안으로서 조만간 소피아라는 책을 낸다. 이는 교육론으로서 루소의 에밀에 나오는 여자 아이에 대한 교육론이다. 그래서 위 다섯권의 책으로써 이 세계의 빈부 격차 문제의 일단을 해결하는 데 기여하고자 한다.

마지막으로 성경 마지막 장에 나오는 다음 구절을 묵상함으로써 이 책을 마무리하고자 한다.

이 책을 부족하나마 이렇게 내게 해주신 하나님께 다시 한번 감사드리면서, 진리를 위해 순교하신 모든 분들께 이 책을 바친다.

요한계시록 22장

10 또 내게 말하되 이 두루마리의 예언의 말씀을 인봉하지 말라 때가 가까우니라

11 불의를 행하는 자는 그대로 불의를 행하고 더러운 자는 그대로 더럽고 의로운 자는 그대로 의를 행하고 거룩한 자는 그대로 거룩하게

하라

12 보라 내가 속히 오리니 내가 줄 1)상이 내게 있어 각 사람에게 그가 행한 대로 갚아 주리라

13 나는 알파와 오메가요 처음과 마지막이요 시작과 마침이라

14 자기 두루마기를 빠는 자들은 복이 있으니 이는 그들이 생명나무에 나아가며 문들을 통하여 성에 들어갈 권세를 받으려 함이로다

15 개들과 점술가들과 음행하는 자들과 살인자들과 우상 숭배자들과 및 거짓말을 좋아하며 지어내는 자는 다 성 밖에 있으리라

16 나 예수는 교회들을 위하여 내 사자를 보내어 이것들을 너희에게 증언하게 하였노라 나는 다윗의 뿌리요 자손이니 곧 광명한 새벽 별이라 하시더라

17 성령과 신부가 말씀하시기를 오라 하시는도다 듣는 자도 오라 할 것이요 목마른 자도 올 것이요 또 원하는 자는 값없이 생명수를 받으라 하시더라

18 내가 이 두루마리의 예언의 말씀을 듣는 모든 사람에게 증언하노니 만일 누구든지 이것들 외에 더하면 하나님이 이 두루마리에 기록된 재앙들을 그에게 더하실 것이요

19 만일 누구든지 이 두루마리의 예언의 말씀에서 제하여 버리면 하나님이 이 두루마리에 기록된 생명나무와 및 거룩한 성에 참여함을 제하여 버리시리라

20 이것들을 증언하신 이가 이르시되 내가 진실로 속히 오리라 하시거늘 아멘 주 예수여 오시옵소서

21 주 예수의 은혜가 2)모든 자들에게 있을지어다 아멘

맺음말 : 2. LH 개혁 방안과 희년 그리고 대한민국 부동산 영구 평화론

LH 문제가 온 나라를 분노케 했다. 그리고 민주당은 서울 시장, 보궐 선거에서 참패했다.

LH 한국 토지 주택 공사는 150만 채의 아파트를 소유한 거대기업이 되었고, 직원 1만 여명, 부채 120조의 공룡이 되었다. 10년 공공임대 및 분양이 이 직원들의 기숙사가 되었다고 하는 것, 1만여명 중에 2천명이 넘는 직원들이 지난 10년간 이 물량에 당첨되었다고 하는 것이 드러났다.

해방 이후 토지 개혁도 단행했고, 북한은 더욱 파격적으로 이런 일이 이뤄졌는데, 남쪽 대한민국은 자본주의 체제로 번영하면서 더욱더 주택과 토지 문제에서 불평등이 심화 되었다.

헨리 조지의 진보와 빈곤이 진단한 것은 맞는데, 대안은 잘못되었다. 지대조세제라는 세금으로 토지와 주택의 불평등 문제를 해결할 수는 없다.

이것이 노무현 정부, 문재인 정부의 토지 주택 정책이 가져온 난맥상이고, 국민의 힘이 앞에서 내세웠던 공급 정책도 잘못된 것이었음이 드러난 결과가 현재의 압구정 80평 아파트의 80억 거래 상황이다.

이 책에서 여러 군데에서 말했다. 오랜 기간에 걸쳐서 쓴 이 책이다.

다시 정리하면, 동일한 내용인데, 이번 LH 사태로 드러난 것들과 함께 하여 다시 정리하면 다음과 같다.

1. 기존 LH 소유 아파트들은, 현 거주자들에게 순차적으로 10년 이상 거주자에겐 토지 임대부로 그 건물의 소유권을 넘겨야 한다.

희년은 50년 마다 온다. 자본주의 사회에선 이 희년을 앞당겨야 한다. 더욱더 빠른 속도로 경제가 움직이기 때문이다.

그래서 10년마다 임대 아파트의 소유권을 넘겨주어야 한다. 토지는 그대로 국가가 소유하고, 그 건물만 넘겨주면 된다. 건물만 감정가로 넘겨주면 된다.

그리고 이 아파트들의 내구 연한이 차면 용적률을 높여서 재건축하고 그 소유권을 넘겨 받은 임차인들과 공존하면 된다.

2. 위와 같이 하면 대한민국에 희년이 오는 것이다. 강남 수서 LH 임대 아파트를 예로 들면 10평 정도는 거의 2천만원에 토지 임대부로 소유권을 넘겨 받을 수 있게 된다.

그런데 강남구 자곡동에 있는 브리즈힐이라는 토지임대부 아파트는 25평형이 10억 가까운 가격에 거래된다.

이렇게 볼 때 수서 임대아파트 10평형의 소유권이 임차인에게 넘어가면 시세는 거의 4-5억원이 되리라 본다. 2천만원에 소유권을 넘겨 받아서 4-5억원에 팔 수도 있고, 거주할 수도 있고, 그곳을 임대 내놓을 수도 있게 된다.

이런 아파트가 전국적으로 LH 소유만 150만채가 향후 10년간 시장에 공급되면 대한민국의 부동산 시장은 완전히 다른 국면을 맞게 된다.

3. 위와 같은 정책을 실현하면, 이 곳에 살면서 임대아파트를 공급받았던 수많은 세대가 기초 수급자에서 벗어나게 된다.

4. 이것이 바로 희년의 방식이었다. 희년에는 그 땅을 다시 그 원주인, 무산자에게 돌려주는 일을 했다.

5. 이 희년의 제도는 이스라엘의 영구 평화를 위한 것이고, 영구 발전을 위한 것이었다. 희년은 희망의 해라는 뜻이다. 땅도 없고, 집도 없던 사람들이 이 희년을 고대했다. 다시 땅과 집이 돌아오는 해였기 때문이다.

그러나 이스라엘의 부자들은 그 땅과 집을 돌려주지 않았고, 하나님의 경고를 받았어도 돌려주지 않았다. 그래서 하나님은 앗수르와 바벨론을 통해서 이스라엘을 완전히, 북이스라엘과 남유다를 완전히 멸명시켜버리시고 가난한 사람들을 해방시키셨다.

이제 대한민국은 패망한 이스라엘의 길로 갈 것인지, 희년을 베풀어서 가난한 사람들에게, 무산자들에게 희망을 주고 공존하면서 번영할 지를 선택해야 한다.

토지공사와 주택공사로 분할하는 것은 근본적 개혁 방안이 아니다. LH 한국토지주택공사가 가진 것들을 주기적으로 다시 돌려주는 것, 그것이 개혁 방안이다.

지속적으로 토지와 주택을 확보한 다음, 다시 주기적으로 건물만이라도 그 소유권을 돌려주는 것, 이것이 초자본주의 사회에서 희년을 도입할 수 있는 방식이며, 종합부동산세, 재산제, 토지 초과 이득세 등은 주효한 정책일 수 없다. 세금 정책도 써야 하지만 근본적으로 다시 이렇게 무산자들에게 자산을 무상으로 돌려주는 것 이것이 이 사회를 영구히 발전할 수 있게 하고, 영구적 절망을 차단하는 근본적 희망의 사회로 변화할 수 있는 길이다.

이는 이미 검증된 정책이다. 이것을 제대로 하지 못했기에 사회주의 공산주의도 생겨난 것이다.

대한민국이 이 기적을 일으킬 수 있다면, 이스라엘도 실패했던 이 기적을 일으킬 수 있다면, 대한민국은 세계 최고의 국가가 될 것이며, 북한도 자연스럽게 흡수 통일할 수 있을 것이다.

그리고 중국마저도 대한민국의 발 앞에 무릎을 꿇을 것이다. 그러나 이런 기적을 만들어내지 못하면 반대의 비극이 이 땅에 다시 일어날 것이다.